CAEAU A MWY

Llyfrau Llafar Gwlad

Caeau a Mwy

Casgliad Merched y Wawr

Gol: Mererid Jones

Argraffiad cyntaf: 2014

Rhif rhyngwladol: 978-1-84527-511-2

Mae'r cyhoeddwyr yn cydnabod cefnogaeth ariannol Cyngor Llyfrau Cymru

Derbyniodd Merched y Wawr nawdd gan WEN Cymru i ddathlu Diwrnod Rhyngwladol y Merched

Cynllun clawr: Sion Ilar

Cyhoeddwyd gan Wasg Carreg Gwalch,
12 Iard yr Orsaf, Llanrwst, Conwy, LL26 0EH.
Ffôn: 01492 642031 Ffacs: 01492 641502
e-bost: llyfrau@carreg-gwalch.com
lle ar y we: www.carreg-gwalch.com

Argraffwyd a chyhoeddwyd yng Nghymru.

Cynnwys

RHAGAIR

Mae'n bleser gen i gyflwyno y llyfr hwn i aelodau Merched y Wawr, gan obeithio y cânt yr un boddhad wrth bori drwyddo ac y cefais i wrth ei baratoi. Y gobaith hefyd, wrth gwrs, yw y bydd y gyfrol yn rhoi pleser i gynulleidfa ehangach nac aelodau'r mudiad ei hun, gan roi cip yr un pryd ar rywfaint o weithgaredd y canghennau ym maes treftadaeth leol a chenedlaethol.

Pan oeddwn yn Llywydd Cenedlaethol yn 2010-2012, un o'r prosiectau oedd casglu enwau – ac yn arbennig enwau caeau. Roedd hyn wedi deillio o araith a gafwyd yn ein Gŵyl Haf Genedlaethol pan ddywedodd yr AC Alun Ffred Jones fod angen gwneud casgliad o enwau caeau Cymru, gan fod yr arfer yn prinhau a'r hen enwau mewn perygl o ddiflannu.

Fe ymatebodd tua chant i'r her a llawer yn tystio iddynt gael mwynhad mawr wrth chwilio am enwau yn eu hardaloedd. Roedd y gwaith yn cynnwys enwau tai, strydoedd, siopau, ffynhonnau, ffermydd a chaeau.

Doedd hi ddim yn ymarferol bosibl i gofnodi yr holl waith mewn un llyfr, felly penderfynwyd canolbwyntio ar enwau caeau yn unig. A hyd yn oed wedyn, nid oedd yn bosibl cynnwys pob enw. Blas ar y gwaith a geir yn y gyfrol hon felly, gan obeithio y bydd hyn yn ysgogi eraill i ymddiddori yn y math hwn o waith a chreu casgliadau eraill.

Hoffwn bwysleisio nad yw hwn yn waith academaidd, ac nad yw'n gofnod o holl gaeau Cymru. Yn hytrach, gwaith aelodau Merched y Wawr yw, a llyfr yn bennaf i ddangos y gwaith a gyflawnwyd ganddynt. Er hynny, fe gafwyd ymateb o bob Rhanbarth ac felly mae trawsdoriad diddorol o enwau dros Gymru.

Ynghyd â'r gwaith ymchwil ar enwau caeau, mae'r llyfr yn cynnwys gwaith creadigol, sef adborth cyrsiau creadigol a gynhaliwyd gan Ferched y Wawr i gyd-fynd â'r thema 'Enwau'. Hefyd ceir casgliad o luniau o'r gwaith crefft a dderbyniwyd i gystadleuaeth y Mudiad yn Ffair Aeaf Llanelwedd 2011 a'r gwaith crefft a wnaed ar gyfer arddangosfa Arfon/Dwyfor yn Sioe Llanelwedd ac Eisteddfod yr Urdd 2012.

Diolch yn fawr iawn i bawb sydd wedi cyfrannu i'r llyfr. Diolch hefyd i'r canghennau a gyfrannodd i'r prosiect casglu enwau – bydd yr holl waith i'w weld ar Wefan Casgliad Gwerin Cymru a Merched y Wawr .

Diolch arbennig i Tegwen am ei chefnogaeth a'i hanogaeth i gyflawni'r gwaith.

Mererid Jones
Llywydd Cenedlaethol 2010–2012

Dwi wrth fy modd fod y casgliad yma yn cael gweld golau dydd. Mae cynifer o enwau caeau wedi diflannu dros y ganrif ddiwethaf, sy'n bechod enfawr gan fod cymaint o ystyron a pherthnasedd lleol i'r enwau. Mewn gwirionedd mae terminoleg amaethyddol yn gyffredinol wedi diflannu ac erbyn hyn rhif yn unig a ofynnir amdano gan y llywodraeth pan yn cyfeirio at gaeau. Mae brwdfrydedd yr aelodau yn heintus a braf ydyw dweud fod nifer wedi cydweithio gyda'r gymuned i sicrhau'r casgliad yma. Hefyd roedd yr amynedd a'r brwdfrydedd a ddangoswyd gan Mererid fel golygydd yn sicrhau fod detholiad diddorol o'r hyn a gasglwyd yn medru cael ei gyhoeddi.

Diolch i Myrddin ap Dafydd a Gwasg Carreg Gwalch am gydweithio hapus i ddod a'r gyfrol ynghyd ac i Sion Ilar am ddylunio'r clawr.

Diolch enfawr i bawb sydd wedi cyfrannu a gobeithio mae pleser pur fydd y darllen. Gobeithio hefyd y bydd y deunydd yn ysbrydoliaeth i eraill fynd ati i nodi'r holl enwau colledig neu yn wir i fynd ati i ysgrifennu yn greadigol neu frodio map o enwau hyfryd eich bro. Daliwch ati ferched i ddiogelu ein treftadaeth ac i sicrhau parhad i enwau Cymraeg a Chymreig ym mhob agwedd o fywyd yng Nghymru, boed ar gae, cartref, plentyn, stryd neu siop.

Tegwen Morris
Cyfarwyddwr Merched y Wawr

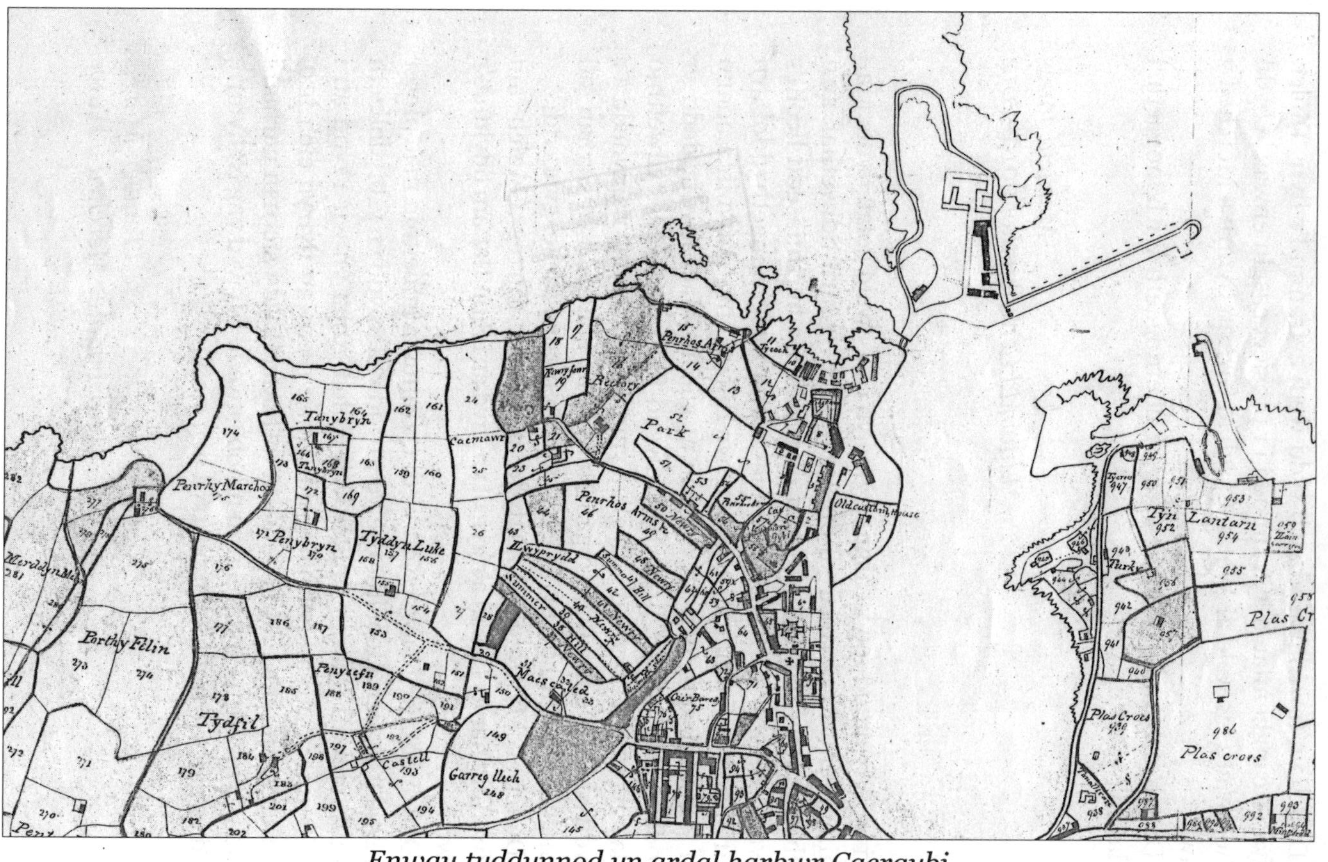

Enwau tyddynnod yn ardal harbwr Caergybi

RHANBARTH MÔN

Caeau o gwmpas Y Fali, o blwyfi Llanynghenedl a Llanfair-yn-Neubwll

Ynys Leurad/Leured. Dros bedwar mil o flynyddoedd yn ôl, roedd Cytiau'r Gwyddelod i'w cael ar yr ynys, sef tai crwn o gerrig, llochesau anifeiliaid a gweithdai. Roedd trigolion y cytiau yn gallu gweithio gyda phren a metal. Yn ddiweddarach cafwyd stordai yno i gadw ceirch a glo ac roedd pydew yno i greu halen. Roeddent yn cludo'r nwyddau yno mewn cychod gwaelod gwastad, ond roedd yn bosib cerdded ar draws y traeth ar ddistyll y llanw.

Cae Lôn y Leurad	
Cae Chwalar	gair Sir Fôn am chwarel
Cae'r Hoyval (hofel)	cae blêr gyda chytiau heb ddrysau a heb eu cynnal a'u cadw rhyw lawer. Dyma lle roedd holl beiriannau'r fferm yn cael eu cadw.
Cae Tŷ Coch	dyma'r Tŷ Coch y cyfeiriwyd ato yn Llyfr Cofnodion Robert Pierce, Criglas, 1796–1881. Yn y ganrif ddiwethaf fe newidiwyd yr enw i Glyndŵr

Cae Newydd/Cae Pwll/Cae Buches – cae i gadw'r gwartheg a'u godro

Cae'r Cob	wrth Tyddyn Cob a morglawdd 1776
Cae Plas Bach	ar y cae yma mae ffynnon sydd ar lan y môr. Ar adegau, fe fydd y llanw'n ei gorchuddio'n llwyr a dŵr y ffynnon yn hollol hallt. Rhyw awr ar ôl i'r llanw gilio fe fydd y dŵr yn llifo'n loyw.
Cae Veurig	teulu Meurig Stad Bodorgan – perchnogion ar lawer o diroedd Môn dros y canrifoedd.
Cae Pen yr Argae	yn y gorffennol, fe adeiladwyd argae ar draws Traeth y Felin ac olwyn ar ben yr argae i weithio'r felin geirch. Pan oedd y llanw'n isel, roedd yn bosib cerdded ar draws y tywod i lannau Rhoscolyn. Ar ôl i'r felin gau, fe adeiladwyd pompren

dros y culfor tuag at yr argae gan drigolion lleol, i hwyluso'r daith i Gapel Siloam, Llanfair-yn-Neubwll. Roedd Tŷ'r Capel yn gartref i'r hanesydd John Rowlands, awdur *Copper Mountain*, sef llyfr am weithfeydd copr Mynydd Parys.

Cae Eglwys

Eglwys Llanfair-yn-Neubwll. Mae'r gair Neubwll yn enw ar drefgordd (tref ddegwm) ganoloesol Deubwll – y ddau bwll yn llynnoedd cyfagos, sef Llyn Penrhyn a Llyn Dinam. Mae Eglwys Santes Fair yn hen iawn ac fe'i hadeiladwyd gan weithwyr y rheilffordd tua 1848 a'r cwmni rheilffordd yn talu am yr holl waith. Yn y 18fed ganrif, un o'r personiaid oedd Mr Griffiths ac yn ôl Robert Pierce, Criglas: 'yr oedd y Sabboth yn amser Mr Griffiths yn cael ei gadw yn anweddaidd. Byddai nifer mawr o ddynion ifanc yn dod at yr Eglwys ennyd cyn y gwasanaeth i wneud ymdrech i godi carreg ar eu hysgwyddau – yr hon a alwent yn "garreg orchest". Byddai amryw yn niweidio eu hunain yn yr ymdrech. Darfu Mr David Lloyd, Ty'n Llan yr arferiad, fe guddiodd y garreg a bu i'r ymarfer ddarfod.'

Mae llawer o gaeau bychan o gwmpas ffermdy ***Glan Rhyd Isaf*** ac mae enwau heb eglurhad iddynt ar ambell gae e.e. Bryn Lligddu a Cae Meiri (stiwardiaid efallai). Yma hefyd roedd Rhyd Syr William – un o deulu Bulkeley 'Baron Hill'. Dros y canrifoedd bu llawer o dir Môn yn berchen i'r teulu yma.

Adeiladau'r pentref sydd ar Gae Mawr a Chae'r Ysgol erbyn hyn.

Roedd Cae Mawr yn rhedeg o dŷ Kirklands i lawr at Bronheulog – cartref i blant amddifad yn y ganrif ddiwethaf – ac at Lôn Gardener, sydd ar Stâd Pendyffryn heddiw. Doedd dim tai na 'Kirklands' ar y tir yma tan 1948.

Roedd Cae'r Ysgol yn rhedeg o Eglwys Sant Mihangel at hen ysgol Y Fali – a gaewyd yn 1939 – ac o'r hen ysgol i fyny ar gefn Bronheulog.

Morfa Llydnod	llwdwn (ll. llydnod) – gair am anifail ifanc
Cae Glan Morfa	cyn adeiladu'r Cob yn 1776 roedd tŷ Glan Morfa ar lan Morfa Cleifiog
Cae Bryn Derwen	rhan o hen fferm Glan Morfa
Cae Fachell	'bachell' – cornel. Hen fwthyn Bachell yn adfeilion heddiw
Ffynnon Wrth Tŷ (Brynteg)	– tarddiad afon Cleifiog cyn iddi lifo heibio Glan Morfa i Draeth Cleifiog. Yn 1984 roedd daeargryn yn yr ardal ac fe sychodd y ffynnon yn gyfan gwbl.
Cae Llyn 'Sbylltir	does neb yn siŵr beth yw ystyr yr enw ond efallai mai 'ysbail dir' yw'r esboniad gan fod llawer o'r caeau wedi eu hawlio oddi ar ffermydd cyfagos. Ar dir y fferm mae Ffynnon Nur a dywedir yr arferid defod gyntefig o aberthu ieir gwynion yma.

Caeau yn ardal Llangefni ac Amlwch

Cae Truan	tir trwm yma
Cae Clorach	agos i dir Clorach a'r ffynnon a gysylltir â Seiriol a Chybi
Cae Pwros	yn terfynu ar fythynnod o'r un enw
Cae Bod Win	ceir hefyd Ffynnon Win
Cae Tw'n Deyrnas	tu hwnt i'r deyrnas
Caeau Booth	olion bwthyn
Fachwen	cae'r Fuwch Wen
Tŷ Sion Olifyr	ffidlwr yn y 18fed ganrif
Cae Syr William Owen	enw offeiriad, newidiwyd i Ty'n Llan
Cae Brych	rhosdir creigiog
Cae Meri	llawn o glychau pabi gwyllt
Cae Newydd 'Nhad	credir mai wedi ei glirio o ddrain a mieri i fod yn gae clir yw'r ystyr.

Cae Bwstri a Ffynnon Bwstri	– roedd yn arfer bod yn le da i granca. Ystyr 'bwstri' yw wystrys. Dywedir bod y ffynnon yn un rinweddol.
Cae Stent	bu tŷ o'r un enw yma ar un amser
Cae Wiars	cyfeirio at yr amser pan oedd ffens wifren yn beth newydd
Cae'r Ddiol	golyga lwybr meddent yma
Cae Mynwent y Milwyr	ar dir Castell Maelgwn
Cae Tomos Jôs	y dyn oedd yn ei ddal
Cae Storws	byddai llongau glo a nwyddau eraill yn dod i draeth Dulas islaw
Cae Gwaith	mwyngloddiwyd yma wedi dirywiad gwaith copr Mynydd Parys
Cae Cwt	cwt a godwyd fel *lookout* adeg yr Ail Ryfel Byd
Gwaun Forus	tir uwchlaw'r môr
Cae Chwimsi	peiriant codi mwyn uwchlaw siafft ar fin y môr yn Aber Tyweden
Gaman Hir	cae main hir (o gyfrifiad 1841)

Rhagor o enwau caeau – y rhan helaethaf gyda'r blaengair ***cae***:

Cae Macwn	Cae Rerach
Cae Cu Du	Cae Corwen
Cae Parc yr Ynys	Cae Pot Powdwr
Cae Tri Phlwy	Cae Llepa
Cae Stocyn	Cae Seisyll
Cae Allt y Beili	Cae Corbwll

Hanesyn diddorol

Mewn llythyr at Mr Edwards, Bodfon yn y flwyddyn 1905, mae E. Neil Bognes yn ysgrifennu o Lundain gyda rhestr o gaeau ym Mhenrhosllugwy. Mae'r ysgrifen yn anodd iawn ei deall. Dyma rai o'r caeau, ac yntau yn ceisio egluro eu hystyr:

Parc Solomon	Solomon's Park
Cae'r Groes Mawrth	cae y cnwd olaf
Cae Cynnal	cae o gryfder

Llain Carreg Lettice	gwraig o'r enw yma yn byw ym Mhenrallt
Caeau Pot	bwthyn o'r enw yma ar y tir
Bryn Ciccin	City Hill
Cae Rhyd y Cynnydd	cae gyda rhyd yn nyffryn yr helwyr
Cyttir	cyd-dir > yn perthyn i ddwy garfan

Caeau a'u hystyr

Cae Pen-rhiw	enw ar dŷ
Llain Gynffon	siap cynffon
Cae Ciosg	bocs ffôn yn ei ymyl
Llain Delyn	cae siâp telyn
Ysgeibion	ysgubor
Rhos y Gad	lle bu brwydr ers talwm
Plas Brain	plas yng nghanol coedwig
Cae'r Arglwydd	pennaeth, sef yr arglwydd sydd wedi ei gladdu yng nghae gwaelod Plas y Brain
Cae Stent	darn o dir a rannwyd pan adeiladwyd ffordd newydd
Cae Bodarfod	bodfeillion yn darfod (tir)
Cae Pont Crogi	carchar yn y cae dros ffordd
Cefnbodengan (bwthyn)	yn yr hen amser byddent yn pedoli'r anifeiliaid yma cyn mynd â nhw drosodd i'r tir mawr i'w gwerthu.

Cangen Llanfechell

Wrth edrych ar y mapiau a'r enwau caeau rhyfeddwyd pa mor gywrain oeddent ac er mai yn Saesneg oedd y dogfennau roedd enwau'r caeau bron i gyd yn Gymraeg.

Defnyddiwyd 'llain', 'rhos', 'ponc' a 'waen' yn ogystal â 'chae'.

Mae nifer o'r enwau yn gyffredin i'r rhan fwyaf o ffermydd e.e. Cae Dan Tŷ, Cae Pwll, Cae Chwarel, Cae Capel, Cae Ffynnon, ac nid oes angen eglurhad.

Gwneir defnydd o anifeiliaid e.e. Cae Creigiau Cathod, Cae Stalwyn, Cae'r Wylan Frech

Enwi caeau ar ôl pobl e.e. Llain Margaret, Llain Robin

Ceir defnydd o eiriau nad ydym yn eu clywed erbyn hyn e.e. lleurad: lleudir – tir heb goed; llepan: llyfu, lleibio

Roedd llawer o dir comin ym Mynydd Mechell.

Cysylltiad Beiblaidd e.e. Gardd Eden

Cyfeiriad archeolegol e.e. Cae Siamber, Cae Tair Carreg

Tystiolaeth o ofergoeliaeth e.e. Cae'r Bwgan, Cae'r Wrach

Hanes Cae Coelcerth

Ganrif a hanner yn ôl heriodd Owen Williams ddau dirfeddiannwr pwerus ym Môn. Enillodd achos llys yn eu herbyn. I ddathlu'r fuddugoliaeth taniwyd coelcerth ar dir y fferm. Hyd heddiw Cae Coelcerth yw enw'r cae.

Cafwyd llawer iawn o wybodaeth am enwau ffermydd a chaeau mewn llyfr yn cofnodi cynlluniau Stad y Brynddu yn 1875. Diddorol yw sylwi sut oedd pob cae wedi ei fesur yn drylwyr, a'r ffordd oedd hynny yn cael ei gofnodi:

	a	r	p
Cae'r Pysgodlyn	6	3	34

a	acer
r	rodenni (pum troedfedd a hanner)
p	perciau (pum llath a hanner)

Cae Lloriau

Defnyddiwyd y graig sydd yn y cae yma i wneud lloriau mewn tai ac adeiladau ar y stad, oherwydd ei bod yn hawdd i'w thorri a'i siapio.

Rhai enwau:

Cae Pen Gwenithfryn	Cae 'Rallt
Cae Rhosbach	Cae Penrhos
Cae Llwybr	Cae Carreg Daran
Cae Ty'n Pwll	Cae Ffwlbi
Cae Pwmp	Cae Gongl
Waun Wen	Cae Gwaenyffryn

Rhestri enwau

O'r rhestri o enwau a gasglwyd gwelir bod rhan helaeth ohonynt yn cychwyn gyda'r blaengair 'cae'. Roedd ambell 'rhos', 'llain' a 'waun'.

Dyma gynnwys flas ohonynt a'r enwau mwyaf anghyfarwydd:

Ardal Rhos-y-bol

Cae Penrorsedd Bach
Cae Gwael
Cae Pant y Bliadur
Cae Polyn
Cae Shed
Caeau Capal
Cae Cleifiog
Cae Rhwnc Ucha
Cae Dafarn Dywyrch
Cae Globan
Cae Rhosmari
Cae Grwban
Cae Llwgu
Cae Talcen 'Rarded
Cae Tegis
Cae Cefn Pali

Ardal Llannerch-y-medd

Cae L (siâp y cae)
Cae Gamfa Goed
Cae Fynwent
Cae Pen Cloc
Cae Ty'r Ych nesa'r lôn
Cae Rhos Cyffyla
Cae Lili
Cae Rig
Cae Dyn Du
Cae Corn
Cae Terfyn Clegir
Cae yr Ardd Ŷd
Cae Pen Bonc
Cae Pont yr Olwyn
Cae Rhigol
Cae Pemprys
Cae Cowarch
Cae 'Rardd Fawn
Rhos wrth pen America
Cae Chwaen Goch nesa'r lôn
Llwyn Ysgaw
Cae Fair (hen fferm o'r enw Cae Fair)

Plwyf Bodwrog

Rhos Felan
Cae Pydew
Cae'r Ynys
Cae Llwybr
Cae Badall
Rhos Geffylau
Cae Pys
Cae Bîg

Ardal Llandrygarn

Cae 'Refail	Cae Cwter Hywel
Cae dan Mynydd Mwyn	Cae Drws
Cae Prys Owen	Cae Cae'r Fontin
Cae Twll Mwg	Cae Bidw
Cae Gamfa Dywyll	Maes Rhyfel

Ardal Pengroeslon, Llanddeusant, Gaerwen

Cae Bach o dan Bronheulog	Cae Perllan Goch
Cae Gongl	Cae Teisi
Rhos Hen Efail	Bonc Cae Felin
Bryn Amaeth	Cae Llidiart Goch
Cae Glo	Cae Cilpwyth
Cae Bryn Parcid	Cae Llepan

Defnyddiwyd Map y Degwm o tua 1840 i nodi enwau ffermydd a chaeau gyda rhif ardal **Llaingoch, Penrhosfeilw** a **Phorthdafarch, Caergybi**. Dyma rai ohonynt:

Newry Fawr	17	Cae Glan y Môr
	18	Cae Ffynnon
	19	Cae'r talcen a'r Buildings
	20	Cae Newry Bach
Maes Caled	31	Cae Mawr
	32	Buildings
	33	Cae Nesa Drip
Tyddyn Luke	151	Gwaun yr Afon
	152	House and Garden
	153	Bryn Luke
	158	Cae Talcen Tŷ
Tan y Bryn	167	House Llainfain
	168	Cae'r Beudy
	169	Cae Croes

Pen y Bryn	171 Cae Ffynnon a Llain bach
	173 Llainfain
Tydfil	178 Cae Cromlech
	179 Pen Ysgubor
	180 Gwaen Cae Newydd
	184 Ponc wrth y Tŷ
	185 Llain dros y Lôn
Pen y Cefn	189 Tir Garw
	188 Cae'r Odyn
	192 Clwt y Ffynnon
	195 Gorffwysfa
Merddyn Melyn	302 Llain near Caesherri
	279 Cae Tri Congol
	367 Llain Porth yr Ogof
	417 Cae Sampson
	385 Dryll y Maen
Gors	205 Cae Pentwr
	212 Cae'r Sychnant
Trefengan	289 Gadlas Cerrig y Llyn
	294 Llain Trwyn Marchog
Twrr	497 Waen y Cwruon
	502 Bryn yr Ŵyn
	514 Erw Crwyn y Llwyn
Tŷ Mawr Mynydd	520 Cae Wal Gad
	522 Cae Twr Bach
	524 Llain Cae'r Hofal
Glanrafon	589 Y Sling
	590 Llain y Penrhyn

Porth y Grug	601	Bonc yr Osedd
	604	Cae Merddyn
Bodwarrwen	633	Cae Buarth y Graig
	637	Llain y Pwll
	641	Cae Talcen Stabal
	643	Cae Coch Bach
	645	Cae Bryn Afalau
Tŷ Mawr	730	Cae'r Llechau
	731	Gwaen yr Arw
	738	Llain y Lleiniau
Porthdafarch	817	Penrhyn Felin
	818	Rhos y Barchyd
	827	Carreg Felan
Pwllangof	848	Cae Twll y Mwg
Penybryn	850	Cae Ysgolhaig
	855	Pen Cae'r Yddyn
	856	Cae Shilber a Gadlas

Roedd llawer yn gyffredin fel:
Cae Bach/Main/Canol/Isaf/Uchaf;
Cae Talcen Tŷ/O Flaen Drws/ Ardd/Ffynnon/Tu Cefn i'r Tŷ/;
Cae Defaid/Ysgubor/Beudy/Llyn

Ambell bwt

Tir arbennig o dda oedd yn Hafod y Gors, er nad yw'r enw yn awgrymu hynny. Byddai yn lle da am fenyn a magu lloeau. Cofiaf gerdded pan yn blentyn drwy un o'r caeau, a fy sgidia wedi troi yn felyn oddi wrth y blodau menyn. Roedd yno gae o rosmari, ond dwn i ddim pam yr enw. Cof arall sydd gennyf pan oeddwn tua chwech oedd gweld troliau yn cario *marrows* o'r cae.

Name of Tenement	Color on Plan	Parish	Nos on Plan	Description	Quantities a	r	p	Total Quantities a	r	p
Pentre Heilin	Pink	LLANBADRIG	1	Homestead	.	3	18			
			2	Cae bach	1	1	20			
			3	Fron	7	1	13			
			4	Cae Cliagwydd	5	3	26			
			5	Rhos newydd	2	1	13			
			6	Rhen Rhos	9	.	22			
			7	Cae tin craig	6	1	9			
			8	Cae ponciau'r Orsedd	10	1	.			
			9	Rhos bach	4	3	24			
			10	Cae cefn	5	.	36			
			11	Cae trenches	4	3	13			
			12	Cae'r garreg wen	5	1	16			
			13	Cae mawr	6	1	9			
			14	Cae ponciau'r frân	7	3	27			
			15	Cae crwn	9	.	30			
			16	Cae'r pandy	7	1	15			
			17	Cae'r Ffynnon	5	2	6			
			18	Cae dan'rardd	4	2	13	104	2	30
								104	2	30

Enghraifft o'r ymchwil: rhestr o enwau caeau fferm Pentre Heilin yn Llanbadrig, Môn

Atgofion o stori fyddai fy nhad yn adrodd am ei dad yn gweithio yn y gwaith copr ym Mynydd Parys. Cerdded dros filltir ar draws y caeau bob bore, cael cyflog misol a chael un gannwyll oedd yn para tua mis, hon yn rhan o'r cyflog. Byddai fy nhad a'i frawd yn disgwyl am y diwrnod cyflog, y ddau yn mynd i gyfarfod eu tad o'r gwaith ac yn cael ceiniog. Cerdded wedyn i Tredath, Amlwch i brynu 'teisen bwdin' – hynny yn golygu cerdded dair milltir yno a thair yn ôl gartref i Rhos-y-bol, ac wrth gwrs wedi bwyta y deisen i gyd! Mi fuasai hyn tua'r flwyddyn 1902.

Moddion Diolchgarwch Eglwys Crist Rhos-y-bol, yr eglwys yn orlawn a gorfod cario meinciau o'r 'Church Room' er mwyn cael lle i bawb. Yr eglwys wedi ei haddurno â blodau a chynnyrch fferm. Cofio cael ysgub o ŷd a gwneud clystyrau bach a'u rhwymo ar ochr y seddau i gyd. Roedd un cymeriad yn tyfu pwmpen *marrow* anferth ac yn torri enw yr eglwys a dyddiad y Diolchgarwch gyda chyllell boced. Roedd yn cael ei gosod ar y silff ffenestr fel bod pawb yn ei gweld. Dyddiau difyr!

RHANBARTH DWYFOR

Pistyll

Er mai am enwau caeau y byddwn yn sôn yn bennaf amdanynt yn y llyfr hwn derbyniwyd gwybodaeth diddorol gan Marian Thomas, aelod 85 oed o gangen Pistyll, am ffynhonnau. Roedd ffynnon ym mhob fferm a thyddyn ers talwm a llawer ohonynt mewn caeau.

Ar ben Carreg y Llan, neu Craig yr Adar, roedd Tyddyn Dafydd Morris ac mae yna bennill diddorol:

> Carreg y Llam a'i wyneb llyfn
> Ei thraed yn y dŵr yn malio dim
> Meddwl dim am wneud ei gwallt
> Ar ei phen mae llwybrau dyrus
> At hen dyddyn Dafydd Morris.

Roedd Carreg y Ddinas yn lle cysgodol a braf, ac yma roedd yna dyddyn bach yn tyfu grawnwin. Yn un o'r caeau mae 'na rywbeth tebyg i gylch crwn, ac mae 'na ddyfalu beth oedd hyn. Rhai llyfrau yn dweud mai mynwent oedd yma ac eraill yn dweud mai lle ymladd ceiliogod oedd yno. Ymlaen ar hyd llwybr y pererinion, ac i fferm Minffordd Uchaf, lle roedd olwyn ddŵr. Yna cyrraedd Tir Bach. Tŷ Mawr sydd yno heddiw ac mae 'na sôn bod llongddrylliad wedi digwydd ar y creigiau gerllaw ac un o'r llongwyr a gafodd ei achub wedi cerdded o'r traeth i'r tŷ. Ymhen amser priododd un o ferched Tir Bach a dechrau teulu newydd yn yr ardal. Ar draws y ffordd mae Bodeilias, cartref y diweddar Barchedig Tom Nefyn Williams. Yn un o gaeau Tŷ Mawr mae adfeilion tyddyn arall o'r enw Tyddyn Peintiwr. Tyddyn arall sy'n adfeilion erbyn hyn yw Tŷ Hen. Yna mae Cae'r Orsedd ac yn ôl yr hanes roedd brenin yn byw yma. Dau le arall sy'n hen iawn yw Fferm Pistyll a Fferm y Gwynus. Dyma ddwy fferm nad oeddent yn talu'r degwm am eu bod yn rhoi lloches a bwyd i'r rhai oedd yn crwydro, neu'r 'tramps' fel yr oeddent yn cael eu galw.

Nefyn

Pump cae a gafwyd gan gangen Nefyn ond mae esboniadau difyr i rai ohonynt:

Cae Iorwerth	ar ôl Edward I, gan fod twrnament wedi ei gynnal yno yn 1284
Cae Ymryson	eto ar ôl twrnament
Cae Sgadan	gan ei fod yn edrych fel siâp pysgodyn
Cae Mynach	
Cae Rhug	

Ond mae'n werth nodi rhai o enwau y strydoedd yma a rhai o'r tai:

Stryd y Ffynnon	hen ffynnon ar ben y stryd
Stryd y Plas	ar ôl palas un o dywysogion Gwynedd
Stryd y Mynach	ar ôl cymuned grefyddol yn amser y Celtiaid
Stryd Madryn	ar ôl teulu Madryn, Castell Madryn
Glynllifon Terrace	ar ôl Arglwydd Newborough, Glynllifon
Bro Gwylwyr	ar ôl y traddodiad pysgota
Lôn Gam	lôn droellog i lawr at lan y môr
Marine Terrace	rhes fechan o dai a enwid ar lafar yn 'Tai Ropwl' neu tai 'rope pull' lle'r arferid gosod y rhaffau ar eu hyd

Garth – cartref yr awdures Elisabeth Watkin Jones, a'r un tŷ o dan yr enw Garth Hudol yn gartref i'r awdures arall Grace Roberts.
Ael y Don, Min y Don, Tal y Don ac Uwch y Don – pedwar tŷ wedi eu hadeiladu ar gyfer pedwar brawd.

Dinas

Bu fferm ***Nyffryn***, Dinas yn gartref i Richard Vaughan a fu'n cynorthwyo'r Esgob William Morgan i gyfieithu'r Beibl.

Daeth y teulu presennol yma o Eifionydd – ar rent i ddechrau, gan Stâd Cefn Amlwch. Rhent am flwyddyn yn 1912, am 156 acer, oedd £100. Dyma enwau'r caeau:

Cae Llandudwen	llwybr drwy'r cae i Eglwys Llandudwen
Y Ddôl	
Cae Coed	

Cae Gorlan
Cae Tŷ'n Prys
Cae Ysgubor
Weirglodd llyn
Cae Eithin
Rhosydd
Weirglodd Wern
Cae Bach
Parc Bach
Poncau Bryn Odol
Parc 'Rafon

O fferm ***Caerau***, Dinas:

Foel Ganol
Cae Canol Penyfoel
Rofft bach
Cae'r Meillion
Foel Fawr
Cae Foel
Foel Brynodol
Foel Uchaf
Cae Dan Stabal
Cae Cefn Tŷ
Cae Berllan y Bwbach
Y Gors
Werdlodd
Cae Tan Lôn Bellaf
Cae Bach Penyfoel
Cae Mawr Penyfoel

Cafwyd rhestri o enwau caeau o sawl ardal arall yn Rhanbarth Dwyfor. Roedd llawer wrth gwrs yn defnyddio enwau cyffredin yr ydym eisoes wedi nodi yn y bennod hon ond dyma flas ar rai mwy anghyfarwydd:

Trefor

Cae Turan
Llawas Goch
Cae Suntur
Clwt yr Hen Felin
Cae Diogi
Maes y Gwiddil
Llwyni'r Ŵyn
Cors Felin

Cricieth

Cae Glofer Bach
Gortal
Cae Giât Wen
Rallt

Abersoch

Cae'r Wrach
Cae Pen Parad
Cae Pengogo
Llain Greiglad
Cae Beudy Olyn
Cae Deg Llathan

Llanrug

Coed Bolyn
Erw Fforch
Yr Aden
Rhydyfuwch
Erw'r Odyn
Llwyn Fedw
Lôn Glai
Tyddyn Berth

Porthmadog

Weirglodd Lli
Maes 'Refail
Cae Groes
Boncyn Llyn
Cae'r Olchfa
Cae Bom

Llaniestyn

Yr Aedd Las
Clust y Wanc
Ceirchfryn
Cae Barucs
Cae Fuches
Teiliwr Aur
Cae Llepan
Talar y Geifr
Cae Siop Grasi
Cae Togo

Bryncroes

Cae Llwyfannen
Cae Ceirch
Llain Tŷ Isa
Rhos Torbant
Cae Pencul
Gwigau

Golan

Clytiau Cledion
Cae'r Ebill
Cae Twll Llwynog
Cae Brwnt
Ponciau Gwyddelod
Cae Gwndwn
Cae Pando Bach
Pen Ebris Mawr

Pwllheli

Coed Creigiau Cathod
Cae Pwrpas
Llain Person
Cae Cnocyn
Llain Bunt
Cae Pwll Canhwyllau
Cors y Wrach
Nant Stigall
Cae Chwe Llathen
Cae Pwllci

Llanaelhaearn

Cae Penrallt Goediog
Cae Pedwar Sgwâr
Cae Dryll y Geifr
Cae Hyll
Yr Hwch
Weirglodd Sion Morgan

Bodwrdda, Aberdaron

Cae Mawr 'Rystum
Cefn Rhewllyn
Bryn Meina/Ganol
Cae Lloia
Dentyr
Nant Cae Hywel

Sarn Mellteyrn, Pwllheli

Cae Bryn Copyn
Caeau Eglwys
Cae Llidiart Gwyn
Cae Person

Llannor, Pwllheli

Cae Malbro
Cae Brics a Chae Hyll
Cae Gwinllan Mawr/Bach
Cae Gwythïen Fawr/Bach
Cae Hen Geffyl
Y Fuches Las
Cae Pryfaid Llwydion
Waen Caerhedyn
Cae Rhos yr Efail
Cae'r Meirch

RHANBARTH ARFON

Yn ôl Elisabeth Evans, cangen Bethel, ystyr 'tyddyn' yw 'pob taliadaeth rhag tlodi', a chafwyd rhestr o enwau tyddynnod yn ardal **Bethel**, Caernarfon ganddi. Dyma enwi ychydig o rai gydag arwyddocâd diddorol:

Y Ddôl Ddeuto	yma y dechreuodd Annibynwyr yr ardal addoli; hefyd mae hen goel fod mynwent rhywle ar y tir
Pen y Buarth	y perchennog ers talwm oedd David Roberts, oedd hefyd yn ymgymerwr angladdau. Defnyddiai geffylau a hers y plwyf, a oedd yn cael eu cadw wrth dalcen yr ysgol lle mae tŷ o'r enw Cae Clyd heddiw
Tyddyn Hen	ar y ffordd i Gaernarfon
Tyddyn Gwndwn	ystyr Gwndwn yw tŷ wedi ei adeiladu ar dir nad yw erioed wedi ei droi
Pen-yr-Orsedd	hen furddun a safai yn ymyl Tyddyn Gwndwn
Blaen Rhôs	tyddyn bychan oedd hefyd yn fragdy – gwerthu cwrw
Gors Bach	tyddyn a thafarn

Ardal Penllyn

Cafwyd rhestri o enwau caeau 17 o ffermydd yr ardal hon. O'r 90 o gaeau, dim ond 12 oedd ddim yn cychwyn gyda'r gair 'cae'. Roedd y rhan fwyaf yn dilyn y patrwm.

Rhai yn dangos eu maint neu eu lleoliad o'r tŷ fferm: Cae Hir/Ucha/Canol/Mawr/Bach/Pencul/O Flaen Tŷ/Dan Tŷ/Dros Lôn/Beudy/o flaen Carafans/Gegin/Ffrynt/Main

Rhai yn cynnwys enwau mannau/lleoliadau: Cae Pengraig/Pen Muriau/Penrhydgoch/Tynffoes/Benlon Brookside/George/Tyddyn Belyn/Scotland/Hughie John

Rhai yn dangos nodweddion y cae: Cae Eithin/Penbryn/Ffynnon/Dal Ieir/Deg Llathan/Llyn/Sel/Dŵr/Fforest/Cwt Mochyn/Glyb/Refail/Coch/Afon/Brwyn/Sgubor/Doman

Rhai yn siâp diddorol:

Cae Hetar	siâp hetar sef haearn smwddio
Cae Delyn	siâp telyn

A dyma'r rhai sydd ddim yn dilyn y gair ***cae***:

Loc
Cae Ryda
Maenllwyd
Weirglodd Wen
Weirglodd Bastad
Morfa
Awtside
Rhos y Gremp
Pandy
Llain Bunt
Rhos Gelli/Ganol/Saethon

Llanddeiniolen

Dyma restr o enwau caeau o fferm y Gelli gyda nodiadau:

Cae Poncan Ceffylau	enwir am fod ceffylau yn cael eu dysgu i dynnu troliau a phwysau trwm arnynt
Cae Gardd y Person	wyth coeden afalau ar y tir wrth dalcen y Gelli
Cae Pwmp	dŵr yn cael ei godi i ddyfrio tir
Cae Poncan Ffynnon	cario dŵr i'w ddefnyddio yn y tŷ
Cae Doctor	ar ben allt Caerau
Cae y Diafol	neu enw arall arno yw Poncan yr Ysbryd
Cae Siop	hen siop fach wrth giât y Gelli ers talwm
Cae Cariadon	ar ben allt Caerau
Cae Owain	hen goel fod Owain Glyndŵr wedi sefyll ar garreg enfawr sydd yn y cae

O ardal **Llanddeiniolen, Bethel, Felinheli, Llandygai** cafwyd rhestri o enwau caeau i gyd yn cychwyn gyda'r gair 'cae'. Llawer ohonynt wrth gwrs yn nodi safle, maint neu'r defnydd a wnaed o'r cae, ond dyma restru rhai sydd yn wahanol:

Cae Cyfar	Cae Erw Bian
Cae Cysegr	Cae Pladur Ffowc
Cae Gadlas	Cae Llwynog
Cae Llwyn Tywyll	Cae Tros Lein
Cae Shed	Cae Chwarel Goch
Cae Erw Engan	Cae Ddôl Ogwen
Cae Penllwyn Gwial	Cae Wern Hemla
Cae Pig Poger	Cae y Glôg
Cae Pwll Llwyd	Cae Fuches Nant

Eto o ardal **Waunfawr, Llanrug** a **Llanwnda** cafwyd llawer o gaeau yn cychwyn gyda'r gair ***cae***:

Cae Tyddyn Heulyn	Cae Top Cors Llyn
Cae Tan Clogwyn	Cae Cefn Stabl
Cae Hywel	Cae'r Efail

Hefyd cafwyd llawer gyda'r rhagddodiad ***buarth***:

Buarth yr Haidd	Buarth yr Ŵyn
Buarth y Wîg	Buarth Nain
Buarth Pistyll	Buarth Cae Mydylau Pellaf

A dyma rai eraill anghyfarwydd:

Lloc Isaf/Uchaf	Yr Egal (lle gwlyb)
Dryll Gwyn	Gardd Pwll Gro
Bryn Cae Hysp	Weirglodd Dossog
Weirglodd Swch	Gwingau Uchaf

Derbyniwyd rhestr o enwau caeau o **Ddeiniolen** sy'n nodi lleoliad y cae yn hytrach nag esboniad am yr enw:

Weirglodd	lle mae'r byngalos o flaen Caradog Terrace
Cae 'Rallt	cefn y Clinig
Cae Creigiau	cae wrth fynd am Hen Lôn
Cae Telyn	wrth ymyl Hen Lôn (siâp telyn)
Cae Boncan	o Glanrhydfadog i lawr at yr afon
Mawnog Uchaf	lle mae'r coed wedi eu plannu
Cae Ffwtbol	ar Lôn Penybont – lle mae cwt dŵr bach

Cae Ficrej	o flaen yr Hen Ficerdy (Noddfa heddiw)
Creigiau	o Ciali (California Terrace) i Frynrefail
Ffridd Gel	Cefn Pentre Helen ar hyd y Ffordd Haearn

Cafwyd enwau hefyd fel:

Cae Lwmp	Mawnog y Gof
Cae Tywyrch	Cae Llyn Corddi

O **Fangor** daeth y wybodaeth fod Ysbyty Gwynedd ar safle ***Fferm Cil Melyn*** gyda'r caeau canlynol:

Cae Penrhos	Cae Clin
Cae Graig	Bryn Garw
Cae Gors	Cae Pencoed

Ac adeilad B&Q ar safle fferm ***Cae Mab Adda*** gyda chaeau:

Cae Coed Mawr	Cae Top Tŷ
Cae Eithin	Cae Llyn
Cae Coed Duon	

Dyma'r Rhanbarth a gyflwynodd y rhestr fwyaf o gaeau gyda'r rhagddodiad 'cae'. Mae'n ymddangos fod hwn yn gyffredin iawn yn y rhan yma o'r wlad. **O Ddeiniolen i Bontllyfni i Benygroes i Frynaerau i Landwrog**.

Llawer fel y gwelwyd o'r blaen yn nodi maint neu siâp y cae:

Cae Pum Llathen	Cae Mawr/Bach
Cae Sgwâr	Cae Bîg
Cae Main	Cae Hetar (haearn smwddio)

Llawer yn nodi'r safle o'r tŷ fferm:

Cae Cefn Gegin	Cae Tŷ Gwair
Cae Dan Tŷ	Cae Tan Lôn

Llawer yn dangos nodweddion y cae:

Cae Dŵr	Cae Fedwen
Cae Llwybr	Cae Ffynnon

Cae Ddraenen
Cae Stabl Bach
Cae Mieri
Cae Tŷ Gwair
Cae Eithin
Cae Stalwyn

Eraill yn enwi person neu le arbennig:

Cae Maen Dylan
Cae Swan
Cae Salisbury
Cae Bryn Gwyn
Cae Bryn Beddau
Cae Bryn Castell
Caeau Anna Evans
Cae Dafydd Du

A rhai mwy anghyfarwydd:

Cae Ffolt
Cae Lleuar Hwch
Cae Goets
Cae Siop Wast
Cae Grepach
Cae Pinc
Cae Daint
Cae Tylwyth Teg

Roedd rhai eraill, a dyma enghreifftiau o'r rhai mwyaf anghyffredin:

Deg ar Hugain
Twll Tyniau
Y Feiston
Bryn Cyrff
Weirglodd Wefys
Fisdon
Lleiniau
Dan Tyrpeg
Benallt
Berthau
Tan Siedie
Ffoes
Simbil
Y Drosfa
Clwt Teg Isaf/Uchaf
Clerni
Ochr Cwt Wil
Poncia Ochr Capel

Tai Tafarn (cylch 1795-1861)

Blue Bell	Red Lion
Britannia	The Ship
Bulls Head	Wheat Sheaf
Cross Keys	Bulkeley Arms
Crown & Anchor	Cross Pipes
Druids Arms	Plume of Feathers
Farmers Arms	The Bear
George & Dragon	Green Dragon
Kings Head	The Nelson
The Liver	Horse & Jockey
Llwydiarth Arms	Royal Oak
Lord Nelson	Sign of the Shoe
Menai Bridge	

Enwau rhai o dafarndai Bangor 1795-1861

RHANBARTH ABERCONWY

Cyn sôn am enwau caeau cafwyd rhestr ddiddorol o siopau ym mhlwyf Dolwyddelan ers llawer dydd. Pan fod sôn am gymaint o siopau yn cau ac archfarchnadoedd a'r siopau 'tu hwnt i'r dre' yn ffordd boblogaidd o siopa, mae'n dda cael darlun o oes aur y siopau bach.

Siopau ym mhlwyf Dolwyddelan

Enw'r Siop	*Math o Siop*	*Perchennog*
Blaenau Dolwyddelan		
Llwydfan	Groser	Mr W Williams
Siop Ffridd	Bwyd a nwyddau i'r gweithwyr oedd yn adeiladu'r lein drydan i Cwm Dyli	
Siop Tŷ Capel Dinas	Bwyd a nwyddau ar gyfer cerddwyr	
Rhesdai'r Castell		
Rhif 1	Pysgod	Mr Evan Salisbury
Rhif 10 'Dolddêl'	Dillad, edafedd, offer gwnio	Mrs Catherine Jones a'i merch Ann
Siop y Fron	a) Groser a Becws	Mr Hugh Hughes Mr John G. Jones
	b) Fferyllydd	Mr Eric Griffiths
	c) Caffi	Mr a Mrs Albert Davies
	ch) Trin gwallt	Nesta Roberts
Rhif 12	Lemonêd, diod dail, melysion	Mrs Moses Roberts
Barbwr		Mr John Jones
Eirianfa	Fferyllydd, meddygfa	Mr a Mrs W. Price Jones

Paratowyd arddangosfa gain yn seiliedig ar y prosiect casglu enwau ar gyfer pabell Merched y Wawr yn Eisteddfod yr Urdd Eryri, 2012. Mae'r arddangosfa bellach i'w gweld yn nerbynfa Coleg Glynllifon.

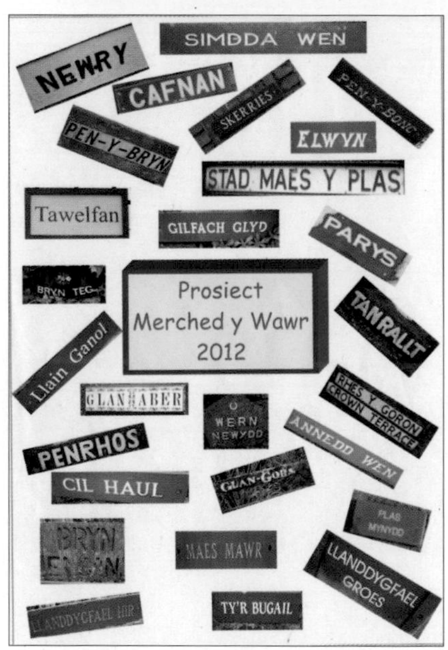

Wynebddalen casgliad Llanfechell a Mynydd Mechell, Môn.

Clawr casgliad cangen Pontarddulais

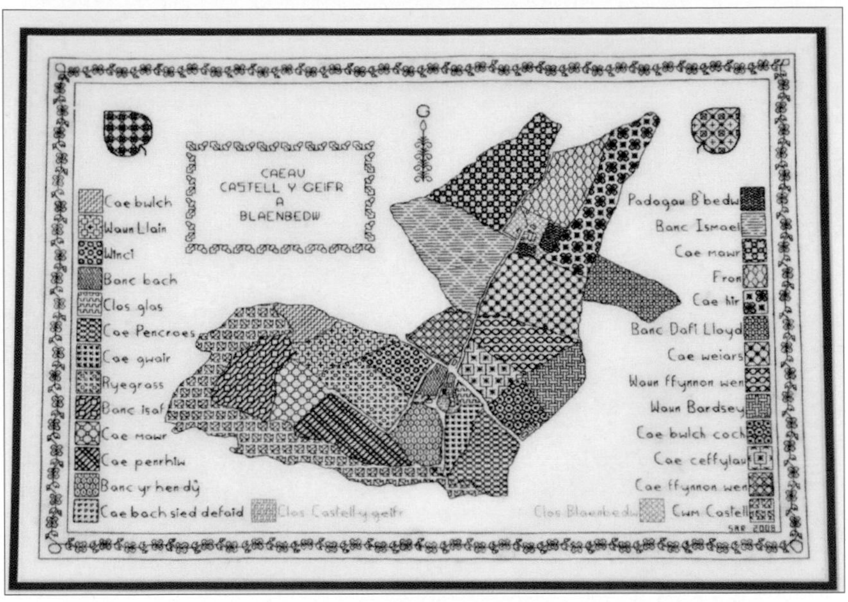

Pedwar map sy'n gynnyrch cystadleuaeth celf a chrefft Merched y Wawr yn Ffair Aeaf Llanelwedd 2011 – 'Map mewn unrhyw gyfrwng', oedd yn cyd-fynd â'r prosiect casglu enwau. Cyntaf: Sally Rees, Cangen y Bryniau, Y Drenewydd

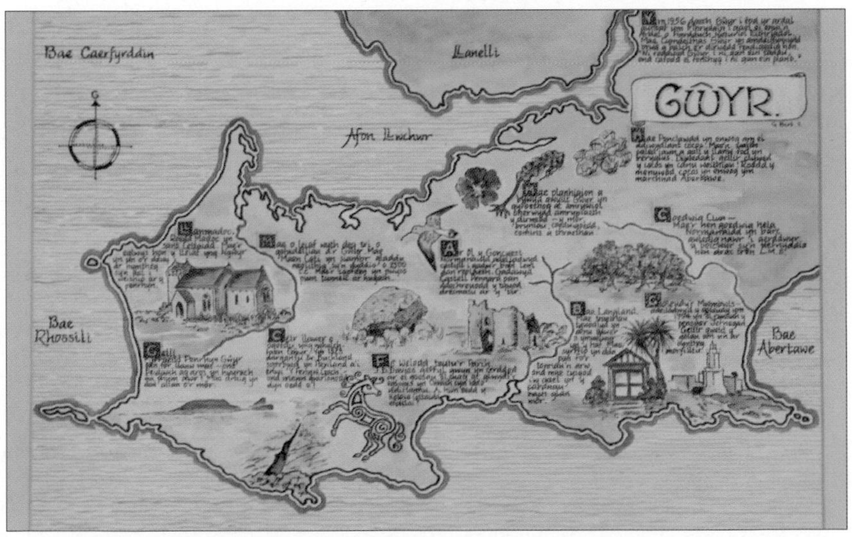

Ail: Grace Birt, Cangen Abertawe, Gorllewin Morgannwg

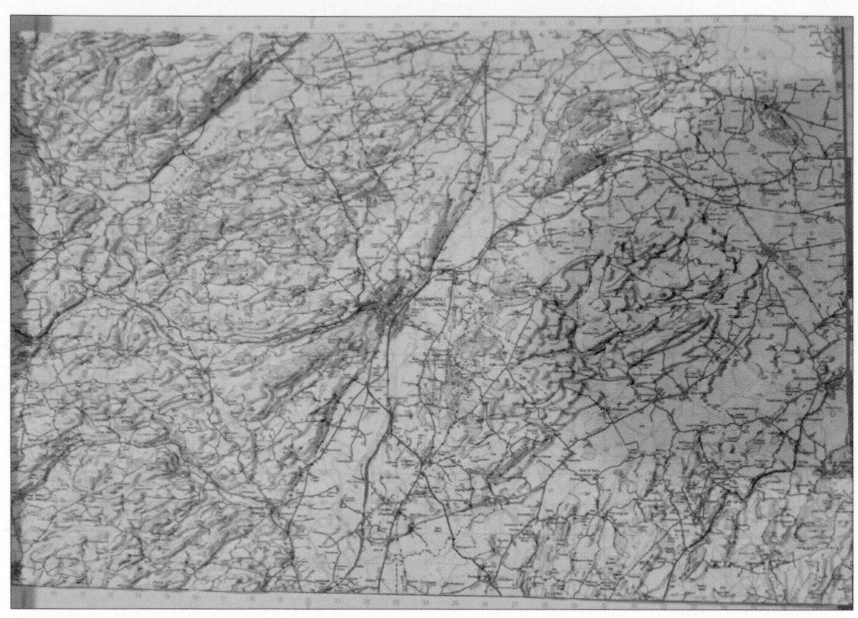

Cydradd Drydydd: Susan Cain, Cangen y Drenewydd, Rhanbarth Maldwyn Powys

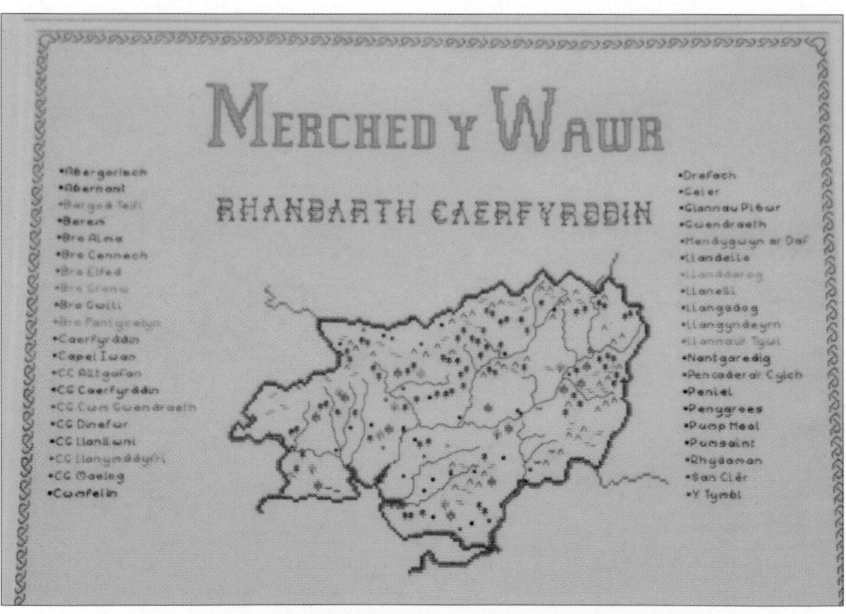

Cydradd Drydydd: Beti May Thomas, Cangen Bro Elfed, Rhanbarth Caerfyrddin

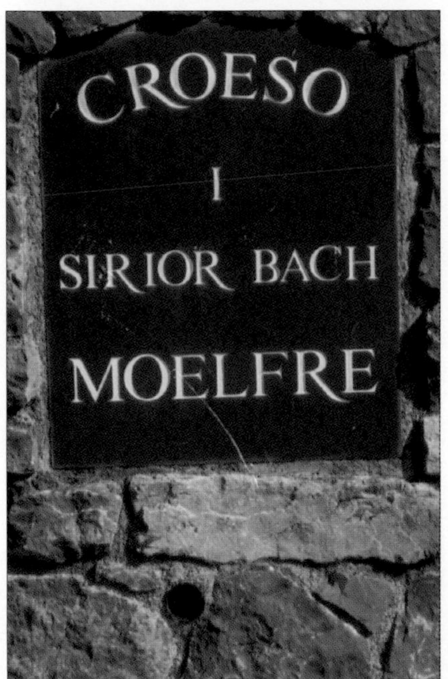

Sirior Bach a Sirior Goch – rhan o gyfraniad Cangen Abergele, Colwyn

Sirior

Serior oedd yr hen ffurf ar Sirior. Mae T. Gwynn Jones yn ei egluro fel 'Lle'r Meirch' gan fod 'seri' yn y Gymraeg yn golygu 'ceffyl'.
Mae Syr Ifor Williams yn anghytuno – dywed ef mai math o 'sarn' oedd seri, sef palmant o gerrig wedi'u gosod i groesi tir llaith. Lluosog 'seri' oedd Serior.
Mae tri thŷ gyda'r enw hwn sef Sirior Goch, Sirior Hir a Sirior Bach.

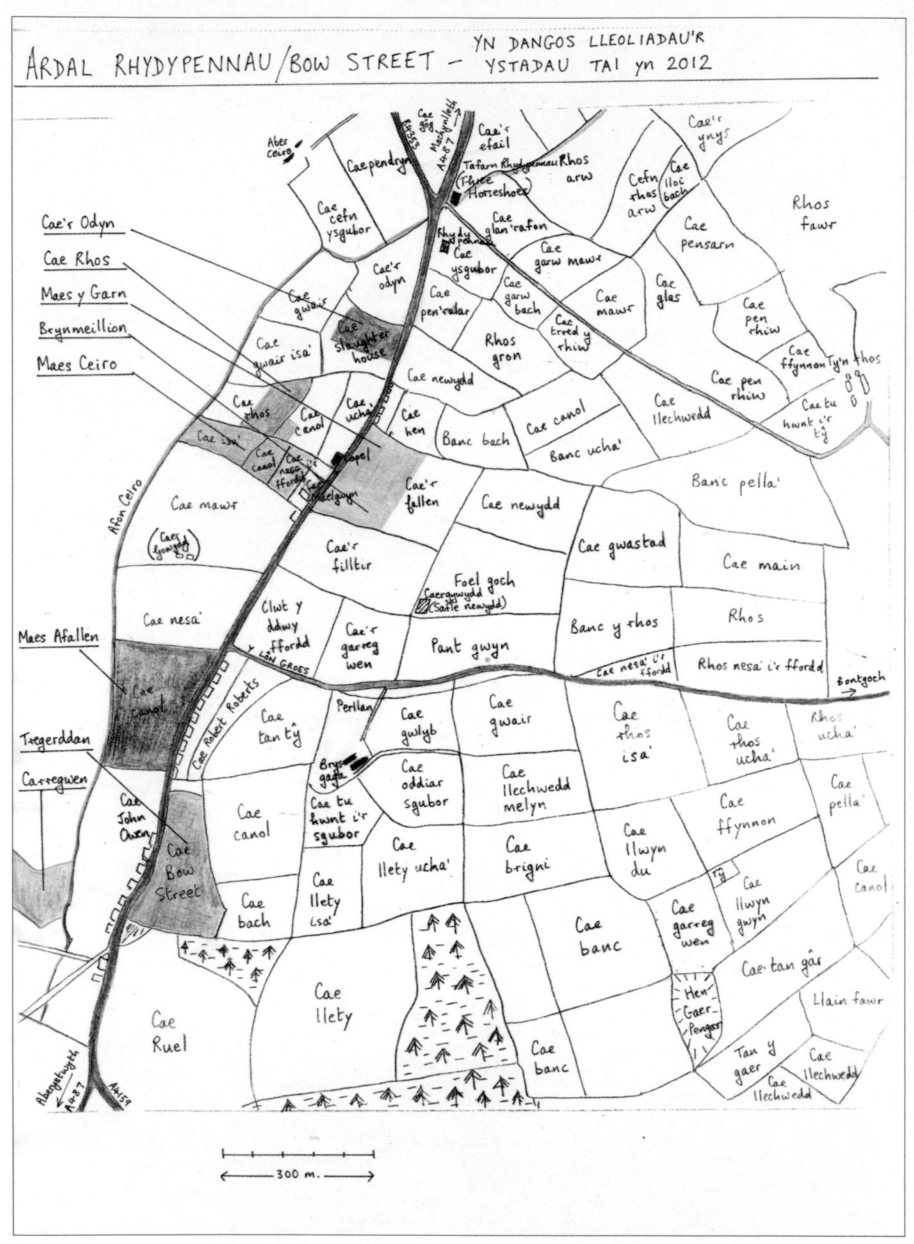

Caeau Rhydypennau/Bow Street yn dangos lleoliadau'r stadau tai yn 2012

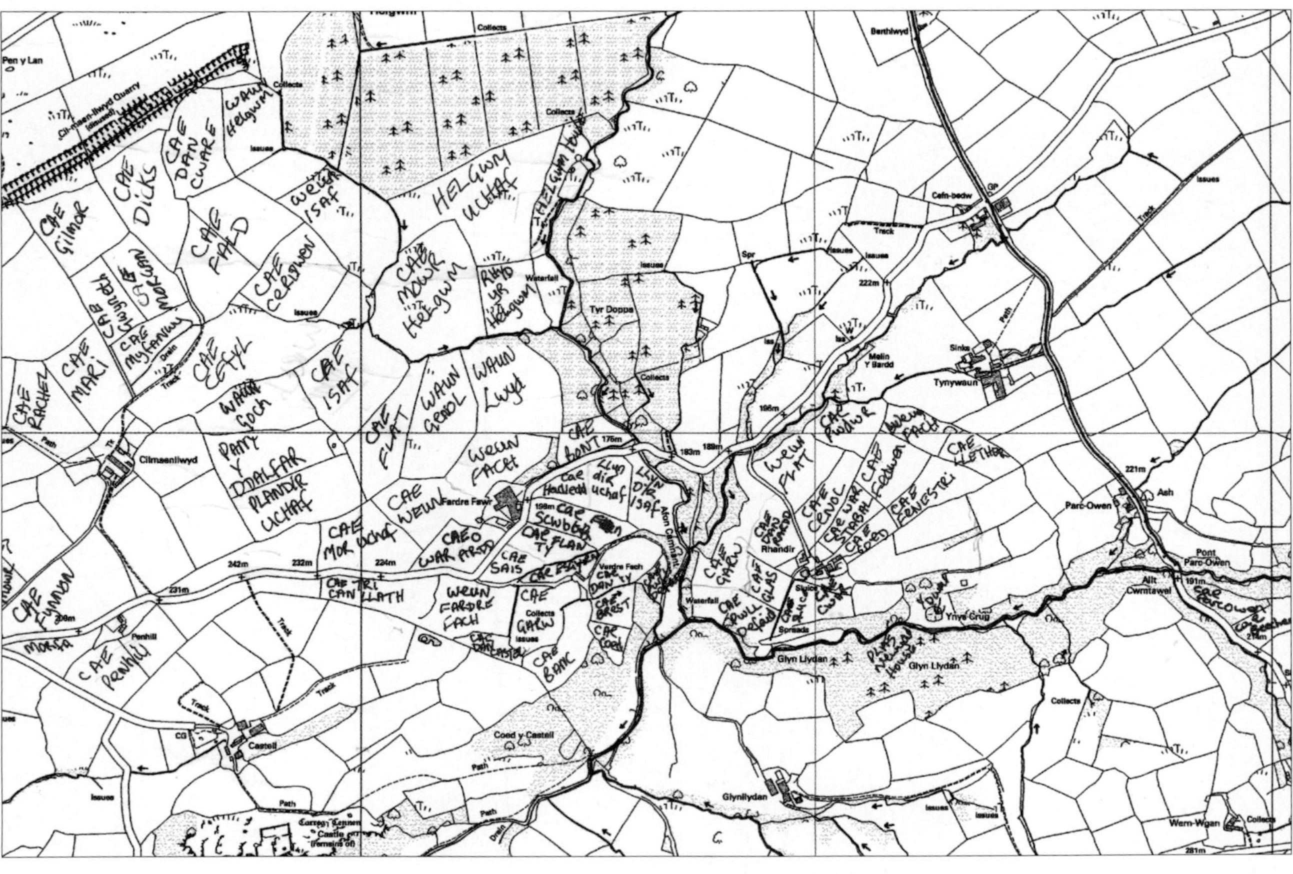

Rhai o gaeau ardal Llangadog, Bethlehem a Chapel Gwynfe

Llun o'r awyr o gaeau Pant-dwfn, San Clêr a Sir Gaerfyrddin a rhestr o'u henwau

Rhif 1	a) Becws b) Teiliwr c) Groser ch) Swyddfa Bost	Mr Evan Thomas Mrs Thomas Mr Lloyd Mr a Mrs Staniforth Mr a Mrs Harri Williams Mr a Mrs Alan Hughes Mr Squires Mr a Mrs Vallego Mr a Mrs Foster

Mandle Terrace

Barbwr		Mr William Griffiths Mr Thomas Ll. Price
Willoughby House (Llys Elan)	Llyfrau, llestri, tacl pysgota	Elis o'r Nant
Bodlondeb	Teiliwr	Mr John Roberts
	Dillad	Mr W. H. Roberts
Pendyffryn	Esgidiau	Mrs Williams
	Cig	Mr John Davies
Bod Gwynedd	Becws	
	Meddygfa	Meddygon Morris, Lloyd, Humphries
Islwyn	Offer fferm	Mr Robert Parry Hughes
Brymers (Glan Lledr)	Glo	Mr Owen E. Parry Mr J. R. Jones Mr Hugh Jones Mr Llew Owen Mr Gilbert Hughes

Ochor Draw i'r Afon

1 Benar Terrace	Melysion, groser	Mr a Mrs John Davies
Gwynfa	Groser	Mrs Elin Roberts
		Miss O. E. Williams
Glan Aber	Groser	Mr a Mrs H. Tudur William
		Glenys Edwards eu merch
Siop y Benar	Groser	Miss Ann Jones
Manchester House	Esgidiau	Mrs Williams
	Groser	Mr Lewis Parry
	Sglodion	Mr Hugh Hughes
		Mr Huw T. Williams
		Mr a Mrs Dennis Jones
14 Maes y Braich	Barbwr	Mr Lewis Pritchard
Craig y Don	Teiliwr	Mr John Daniel
Pentre Bont (Rhif 1)	Pennog picl a bara ceirch	Mrs M. Williams
Pentre Bont (Rhif 4)	Melysion	Mr George Davies
Pentre Bont	Groser a melysion	Ann Jones (Dinbych)

O'r Sgwâr i Bont y Pant

Noddfa (Gwalia)	Sglodion	Mr a Mrs Hugh Williams
		Miss E. A. Williams
	Cigydd	Mr O. E. Edwards

Ffordd Gefn

Barbwr Bron Derw		Mr Griffith Hughes
Fron Cottage	Olew gewynnau	Mr Eccles

Stryd yr Eglwys

Arvon House	Groser a phapurau newydd	Mr a Mrs W. Price Jones
		Mr R. O. Bagley
		Mr a Mrs John G. Hughes

		Mr a Mrs R. G. Davies
		Mrs Staniforth
		Mr a Mrs Traver
		Mr a Mrs Ieuan Davies
	Caffi a chrefftau	Mrs Eunice Cawley
Cooperative Store	Groser, Blawdiau Bwyd anifeiliaid	Mr Owen Jones (Manod)
		Mr R. H. Dauncey (Llwyn Onn)
Siop y Llan/ Spar (newid enw)		Mr a Mrs Ieuan Davies
		Mr a Mrs Williams
		Mr a Mrs Blackwell
		Mr a Mrs Skerrett
Ronan	Crydd esgidiau a chlocsiau	Mr Robert Davies (Bob)
Llety Fadog	Melysion a mân nwyddau	Mrs Kate Jones
Cynnud View	Gwerthwr glo	Mr Richard Jones
Glan William	Esgidiau	Mr a Mrs William Hughes
	Edafedd	Mrs Lizzi Jones
Glyndwr Villa (Dolwar)	Teisennau	Mr a Mrs John Lloyd Hughes
	Gwneud Clocsiau	
Bodowain	Melysion a ffrwythau	Mr a Mrs William Edwards
		Mr D. H. Edwards a Maud
a) Fferyllfa ac anrhegion		Mr Eric Griffiths
b) Banc		
c) Meddygfa		Meddygon Pritchard, Maxwell, Jones, Boynes, Morris, Evans, Parry
Dolawel	Cigydd	Mr Jones Davies
		Mr Thomas J. Jones

Stryd y Bont

Cooperative Penddôl	Groser, nwyddau ffermio	Mr R. E. Holland
		Mr Hugh Owen
		Mr R. H. Dauncey
		Mr Brian Roberts
		Mr Terry Jones
Siop Tŷ Capel		Beti Stobart
Castell Elan	Melysion	Mr Foster
Elen's Cottage	Melysion	
Pistyll Terrace	Groser	Mrs Elin Jones
Bryn Hyfryd	Pastai cig a pys	Mr a Mrs John Hughes
Garej Cambrian	Melysion a hufen iâ	Mr a Mrs Brassington
		Mr a Mrs McLeod
Ty'n y ffordd	Melysion, paraffîn	Miss Roberts
		Miss Catherine McGill
		Miss Barkin
		Mr a Mrs Crooks
Dolmurgoch	Siop pob dim	

Mae ffermydd yn ardal Dolwyddelan hefyd a dyma enghreifftiau o enwau caeau pedair fferm a dderbyniwyd, sef ffermydd Gorddinan, Bertheos, Fish Inn a Ty'n Afallen:

Ddôl Llwydfan	Cae o D'ycha Lein
Cae Mochyn	Cae o Dan Lein
Dôl Beudy	Benar
Ddôl Glan Wern	Llechwedd Injan
Cae Pry Llwyd	Top Warren
Waun Goch	Cae dan Cae Gwyn

Dyma restr o enwau caeau fferm Hendre Wen, **Llanrwst**, yn cynnig esboniadau:

Cae Bont	yn ymyl y bont sydd ar y ffordd fawr wrth y drofa i Gapel Garmon
Cae Pant	wrth yr afon fach sy'n dod lawr o Gapel Garmon, sydd mewn pant
Ddôl	terfyn rhwng caeau Plas Tirion a Hendre Wen

Cae Cefn Tŷ	tu ôl i'r tŷ
Cae Syrchlite	wrth y ffordd fawr, lle roedd cwt cerrig adeg y rhyfel, gyda *search light* ynddo i gadw llygaid ar yr awyrennau
Y Berllan	llawer o goed afalau ac eirin yn tyfu yma

O gangen **Uwchaled** cafwyd y rhain:

Cratch	gwnaed tân adeg y coroni ar dop y cratch
Derwydd	un goeden dderwen yma
Pedair a Dime	cost cadw gwartheg dros nos ar eu taith i'r farchnad
Ffridd Gist Faen	sôn bod pobl wallgo yn cael eu cloi yn y gist

Hefyd:

Cae Dan Tŷ
Cae Penrhiw Bach
Gwastad Coed
Cae Ty'n Pistyll
Ffridd Gwernhenedd
Ffridd Ucha
Cae 'Ronen
Cae Bwtri
Cae Garreg
Cae Tŷ Bychan
Ffridd Top Ffordd
Cae Main

Daeth rhestr hir o enwau caeau o gangen **Llanddoged** a dyma roi blas ohonynt:

Enwau yn cychwyn gyda ***waen*** (gwaun) sef tir pori, dôl:
Waen Llethr Uchaf/Isaf
Waen Llethr Bach/Mawr
Waun

Enwau yn cychwyn gyda ***wern*** sef tir gwlyb neu gorsog:
Wern Llethr
Wern Llethr Bach
Y Wern

Enwau yn cychwyn gyda ***ffrith*** (ffridd) sef pordir defaid:
Ffrith Bach/Ganol
Ffrith Newydd

Ffrith Mynydd
Ffrith Pen Llethr
Ffrith Fawnog
Ffrith Wen/Lwyd
Ffrith Ffowc
Ffrith 'r Ynys
Ffrith Waen
Ffrith Tu Hwnt i'r Ffordd

Enwau yn cychwyn gyda ***cae*** (llawer o'r rhain yn dangos maint a lleoliad y cae o'r tŷ fferm). Dyma rai esiamplau eraill:

Cae'r Afon
Cae Ffynnon
Cae Llyn
Cae Top Coed
Cae Ysgubor
Cae Dan Tŷ Brynmorfydd Bach
Cae Robin
Cae Agosa i'r Ucha
Cae Brwyn
Cae Bont
Cae Nant

Enwau yn cychwyn gyda ***bryn*** sef darn uchel o dir:

Bryn Dafarn
Bryn Beddau Isha
Bryn Bras
Bryn Beddau Ucha
Bryn Bedw

Enwau eraill gwahanol oedd:

Weirglodd
Ddôl
Y Berllan
Pandy Bach/Mawr
Hirdir Cwm Uchaf
Yr Ardd Wenith
Rofft
Dryll Ffynnon
*Dryll – sef darn o dir

Enghreifftiau o enwau o ardal **Carmel** a **Melin-y-coed** ger Llanrwst, y rhain o ffermydd Henblas, Llwyn Goronwy, Y Fedw, Pennant, Y Glyn, Bwlch y Gwynt, Coed Llydan Mawr, Garth y Pigau a Nant y Rhiw:

Cae

Cae Gegin
Cae Popty
Cae Tŷ Mawn
Cae Rhonen bach
Cae Lyan
Cae Rhyd Lechog
Cae Garwyd
Cae Tylluan Gam

Cae Coch
Cae Wyn Ucha/Isa
Cae William Robaits
Cae Thyrus

Ffrith

Ffrith Lyn
Ffrith Wair
Ffrith Glap
Ffrith Dibin
Ffrith Lwybr
Ffrith Gerrig Newydd
Ffrith Lofer
Ffrith Eithin

Hefyd enwau mwy anghyfarwydd:

Llwyn Betws
Llety Dryw
Parc Dinod
Henfaes
Rhydloyw
Maes Aur
Cae Pwllgwydda
Erw Hirion
Bancarhug
Wern Cŵn
Olchfa
Hafod Gilbert
Bronydd
Plason

Dyma enghreifftiau o enwau eraill a dderbyniwyd:

Cangen Henryd

Ffreith Pant
Cae Porter Mawr
Cae Cathod
Bonc Gringe
Cae Chwarel
Ffrith Arw Gerrig
Padir
Cae Go' Isa/Ucha
Maen Efail
Cae Banadl

Cangen Eigiau

Cae Sgubor
Cae Gwastad
Cae Pella
Cae Dan Tŷ

Penmachno

Cae Penbryn
Cae Llechwedd Hafod
Cae Ty'n Fron
Cae Foel
Cae Hafod y Fraich
Cae Ty'n Ddôl

Caeau ffermydd Capel Curig

Fferm Tal Braich Isaf

Cae dan ffordd
Cae dan tŷ
Cae beudy canol
Bryn Ci
Bryn Ci Pella

Fferm Tal Braich Uchaf

Cwndwn
Weun
Parc Main
Weun Bedol
Weun Logydd
Pen helyg ddu
Bwlch tri marchog

Fferm Glan Llugwy

Dôl Brydan
Parc maen y bugeilydd
Parc Ynys Goch
Weirglodd Uchaf
Mwdwl yr Wŷn
Cefn Cae
Waen y seren Ddu
Parc Tŷ glas
Ffridd Garreg Mianog
Pen Garnedd
Bwlch Clawr Llwyd
Pen y Winwen
Pen helgi Ddu
Parc Main
Ffridd Bach
Beuarth Glas

Fferm Bodesi

Parc Bodesi
Bryn Poeth
Creigiau Malwod
Garnedd Dafydd
weirglodd dan tŷ
Dan wal Bodesi
Sgalion Duon

Fferm Llyn Ogwen

Bryn Golau
Weirglodd Tal llyn
Dan Wal
Cwm ffynnon lloer
Clogwyn Tarw
Pen yr Ole Wen
Clogwyn Llys
Castell

Rhestr o gaeau ar rai o ffermydd Capel Curig

RHANBARTH COLWYN

O'r amser pan y cychwynnwyd amgáu tiroedd yn gaeau, bu'n arfer cyson i roi enwau ar y caeau. Fel rheol byddai'r enwau yn adlewyrchu maint y cae, lleoliad y cae, ffurf y cae. Nodweddiadol o un pen i Gymru i'r llall yw Cae Mawr a Cae Bach yn cyfeirio at faint y cae. Wedyn dyma:

Cae Dan Tŷ	Cae Cefn Tŷ
Cae Cefn Sgubor	Cae Ffrynt
Cae o Flaen Tŷ	Cae Cefn Tŷ
Cae Pella	Cae Pant

yn cyfeirio at leoliad y cae a hynny yn aml, yn ei berthynas â'r tŷ fferm. Ffurf neu siap y cae a geir yn:

Cae Main	Cae Hir
Cae Sgwâr	Cae Pig

Yn y rhannau o Gymru lle'r arferir y gair 'parc' am 'gae' cawn enwau fel:

Parc Hwnt	Parc-y-lôn
Parc-y-bont	

Felly hefyd ffriddoedd, ceir:

Ffridd Ganol	Ffridd Bella

(Diolch i Megan Jones, Cangen Y Rhyl am y sylwadau hyn)

Derbyniais restr o enwau caeau a geiriau sy'n cynnig esboniad o gangen **Llansannan**:

bryn – darn o dir uchel llai na mynydd, (g)allt, rhiw, tyle, llethr, codiad tir, bron, mynydd bach, cefnen, ponc, twmpath:

Bonc Llyn	Bryn Glas
Fron	Pen Allt Ddu Isaf/ Uchaf
Boncyn Rhos	Cae Boncyn
Cefnen	Ochr Cefn
Cefn Isaf/ Uchaf	Bronydd

Bron Gerrig
Penallt
Bryn Waen Eithin
Bryn Dial

cae – maes wedi ei amgáu. Ceir nifer fawr o enghreifftiau o hyn. Dyma flas o rai ohonynt:

Cae Gwair
Cae Eithin
Cae Rhos
Cae Gadlas
Cae Treflech Bach
Cae Gof
Cae Dentir
Cae Engine
Cae Popty
Cae Gwlybion
Cae Calch
Cae Lloiau
Cae Waren
Cae Sgubor
Cae Hugh
Cae Clover
Cae Felin
Cae Ceffyl
Cae Caregog
Cae Maenllwyd

clwt – llain o dir:

Clwt y Ffynnon
Clwt Bach
Clwt y Ddafad Ddu
Clwt y Ffordd
Clwt Bloren
Clwt Pen Rhewl

d(d)ôl – maes, tir pori, gwaun, cae, gweirglodd, dyffryn. Yn wreiddiol tir yn amgylchynu bro neu afon:

Ddôl
Ddôl Bach
Ddôl Ochr a Rofft
Ddôl Tan Cae Sgubor
Ddôl Tu Draw i'r Afon
Ddôl y Felin
Ddôl Pengwern
Ddôl y Llygod
Ddôl Gwaith
Ddôl Ucha/ Isa
Ddôl Gwydda
Ddôl Pistyll
Ddôl Ddall
Ddôl Wenith
Ddôl y Llyn
Ddôl Mynydd
Ddôl Las

erw – acer, cyfer sydd oddeutu 1 erw:

Erw a Choed
Acere Hirion
Acere Graig
Erw

Acer Wen
Yr Erw Felen
Erw Bach

ffrith – porfa fynyddig:
Ffrith Ceirch
Ffrith Fês Ucha
Ffrith Rhos
Ffrith Henllan
Ffrith Llechwedd
Ffrith y Wal
Ffrith Goch
Ffrith yr Ŷd
Ffrith Blew Ceirch
Ffrith Arw
Ffridd Isa/ Ucha
Ffrith y Foel
Ffrith Mynydd
Ffrith Groesffordd
Ffrith y Dŵr
Ffrith y Llyn
Ffrith William Wynn
Ffrithoedd

gweirglodd – darn o dir isel a gwastad a neulltir i dyfu gwair, dôl neu gae gwair, gwaun (yn wreiddiol gyda chlawdd o'i chwmpas):
Weirglodd
Weirglodd Goch
Weirglodd Isaf/ Uchaf
Weirglodd Ganol
Weirglodd Bach/ Mawr
Weirglodd Fain
Weirglodd Goedweirgoll Fawr a Shaft (Copr)

maen – carreg:
Cae Maenllwyd
Carreg Gron
Cae Maen

maes – cae, tir agored:
Meysydd Gwynion
Maes Gwningod
Maes Mawr
Maes Cogor
Maes Meddyg
Maes Hirdir
Maes a'r Uwch

mwdwl – mydylaw, pentwr o wair, cocyn:
Ffrith Mwdwl Isaf/ Ganol/ Uchaf

odyn – ffwrn; llosgi carreg galch i wneud calch:
Cae'r Odyn

pant – dyffryn, glyn, cwm:

Cae Pant	Pant y Gwlân

rofft – crofftydd, cae bychan:

Pen Rofft	Rofft
Rofft Bellaf	Rofft y Gegin
Rofft Eithin	Rofft Bryn y Clochydd
Rofft Hir	

wern – gwern, tir gwlyb neu gorsiog:

Wern	Wern Bach
Mynydd Pengwern	Coed Pengwern

Cafwyd casgliad diddorol o **Langernyw** a gasglwyd gan deulu Vaughan, Bryn Gwylan. Roedd rhai enwau yn cynnig esboniad. Ar fferm ***Bryn Gwylan***:

Gentry Coch	Cefn y dre ddegwm (Bodgynnwch)
Cil y Ffrwd	Ffridd Porfa Ceffylau
Cae Glas	darn o Ffridd Ganol erbyn hyn
Ffridd Ganol	canfuwyd morthwyl ar y ffin rhwng Ffridd Ganol a Gentry Goch yn 2004 – 5,000 o flynyddoedd oed.
Bronydd	canfuwyd carreg 36" Gristnogol gynnar – VERE 1938 – 4-6 ganrif
Dôl Odyn	Tafarn Bara Ceirch – John Samuel yn 1725 yn cael ei gosbi am werthu cwrw ar ffordd y porthmyn. Codi wedyn am y bara ceirch – enghraifft o osgoi treth!

Roedd enwau anghyffredin fel:

Frwynos	Cricyn
Dôl y Gro	Pwll Clai
Pant yr Uchain	Gro Mawn
Swch Maesofl	Rhos y Gwyddyl
Sarn y Marchogion	Cae Llochwyn
Pant Ffridd y Creigiau	Pen y Fyddin

Creigiau y Gwyddyl | Cilgoban Crofft
Swch y Glyn

Roedd hefyd enwau Saesneg fel:
Hendre Ddu Homestead
A Field
Vicarage Homestead
Church Yard

Cafwyd hanes diddorol am fferm ***Bodchwil*** ger **Llanfair Talhaearn**.

Saif Bodchwil yng nghesail Mynydd Bodran ac mae llawer o enwau'r caeau yn gwreiddio o'u lleoliad neu'n berthnasol i gymeriad y tyfiant a'r tirwedd. Ger troed Mynydd Bodran mae Coed Nant y Chwil, sef y goedlan hynafol sy'n sefyll naill ochr i'r ffrwd. O dan y tŷ mae Cae Dan Tŷ a Chae Canol rhwng y ddau. Mae un cae arall o dan y tŷ o dan y lôn sy'n arwain i'r tŷ. Cae Dan Lôn oedd yr enw gwreiddiol ond ers i 'Nhad ddechrau tyfu tatws, swêj a moron ar y pedair acer sgwâr yma, Cae Tatws fuodd o hyd heddiw. Uwchben y tŷ mae Cae Bach Lôn – y cae bach wrth y lôn yn arwain i Bodchwil. Cae Sied, sef y cae nesaf i'r sied, ac ochr arall i'r beudai mae Cae Deri. Mae llawer o hanes y teulu ynghlwm wrth y cae yma. Y Deri ei hun lle hidlwyd y llaeth i'r cansenni o'r 22 buwch a oedd yn cael eu godro hyd at 1974. Y cansenni wedyn yn cael eu danfon gan fy 'Nhad yn y 'transport box' tu ôl i'r Massey 35 i lawr at stand laeth Nant y Chwil dros ddwy siwrne. Cwtogwyd hyn i siwrne pan brynodd fy nhad Ford 4000 newydd sbon. Y Deri lle bu Mam yn 'separatio' llaeth i gynhyrchu hufen ac yn corddi i wneud menyn a llaeth enwyn. Tra roedd hyn ar y gweill byddai'r buchod yn cerdded allan i Gae Deri i bori, a dychwelyd yn dawel ddiwedd y prynhawn i gael eu godro eto. Mae Cae Deri hefyd yn hwylus am ei fod nesaf i'r buarth ac yn gae bychan lle gellir cadw golwg ar fuwch neu heffer gyflo oedd wedi clwyfo, ac wedyn hefyd ar ôl i'r lloi gael eu geni. O Gae Deri roedd mynedfa i Gae Llyn, prif ffynhonnell ddŵr holl stoc y fferm. Roedd top y cae yn cyfarfod â'r mynydd ac o'i ddilyn down at Cae Mawr, sef y cae mwyaf ar y fferm. Oddi tano mae Cae Eithin neu Cae Pellaf fel ei gelwir weithiau – am ei fod y pellaf o'r tŷ. Ond mae'r gair eithin yn nodweddiadol ohono gan fod croen tenau ar ddarn o'r cae a phoncyn ddigon diffrwyth yn cynnal dim ond eithin. Wrth ddod 'nôl am y buarth, ac mewn cylch o gwmpas Cae Deri mae Cae Ffynnon. Dyma lle mae'r ffynnon hollbwysig sy'n ffynhonnell ddŵr i'r tŷ.

Dyma ran o gasgliad ardal **Betws-yn-Rhos** a **Throfarth** a chynigir rhesymau diddorol am yr enwau:

Cae Pant a Cefn Coch Isa – un cae mawr	
Tai Newyddion	hen furddun o'r enw Tai Newydd
Sir Fôn	siâp sir Fôn
Ffridd Ffynnon Abel	hen furddun o'r enw Ffynnon Abel
Ffrith Tan y Mynydd	hen furddun o'r enw Tan y Mynydd
Ffrith Isa	mae ffordd Rufeinig yn mynd drwy'r cae
Cae Pentre	arferai'r cae fod yn perthyn i'r pentre
Cae Tan y Graig	tŷ o'r enw Tan y Graig yn y cae hwn
Home Guard	Home Guard yn cael eu hyfforddi yn y cae adeg rhyfel 1939-45
Caeau Llyn Lŵs	llyn Glyn Lŵs yng ngwaelod y cae
Cae Ty'n Llwyn	hen furddun yma o'r enw Ty'n Llwyn
Cae Chwarel y Gath	hen chwarel gerrig i adeiladu waliau. Pry llwyd yno (pry llwyd=cath)
Cae Sale	arwerthiant wedi bod yn y cae hwn
Ffrith yr Esgob	Dywedir fod hen gaer Rufeinig yn y cae
Ffrith John Huw a Ffrith Grace Elin – y ddwy ffrith wedi eu henwi	ar ôl brawd a chwaer
Bwlch Gwynt	hen furddun yma lle arferid cynnal cyfarfodydd gweddi yn 1800
Ffrith Pant Rhedyn a Ffrith Llyn – Ffordd Rufeinig yn rhedeg ar hyd	y ddau gae yma
Plas Drain	darn ohono yn waren i fagu llwynogod
Cae Pantiau	chwedl i ffosydd dwfn gael eu gwneud adeg rhyfel Owain Glyndŵr
Cae Coch	hanes fod brwydr fawr wedi digwydd ar y cae yma a llawer wedi eu lladd

Ffrith Gyfrwyau	yma roedd safle hen dre ddegwm. Chwedl fod Owain Glyndŵr wedi aros yma.
Deheufryn Gorse	arferai hen felin eithin fod yn y cae hwn. Mae nawr yn Amgueddfa Werin Cymru.
Rhosmarch Uchaf	hen enw arno oedd Cae Swch ac nid oedd i gael ei droi
Cae Felin Wynt	melin wynt yn y cae hwn
Pistyll Gwyn	hen furddun yma lle cynhelid Ysgol Sul yn 1880
Accar Gro	brwydr wedi digwydd yma
Cae Gof	gof yn pedoli gwartheg i'r porthmyn yma
Cae Ychain	porthmyn yn pori gwartheg yma ar ôl eu pedoli
Cae Capel Bach	roedd hen gapel bach ar y tir

Cafwyd rhestr faith o **Bandy Tudur** yn enwi caeau o 30 fferm: Bodrach, Bryniau Pair Uchaf, Bryniau Pair Isaf, Buarth Cerrig, Cefn Castell, Foel Fawr, Fron Deg, Glanrhyd, Hafod Bach, Hafod Fawr, Hendre Blaenau, Llwyn Du Isaf, Llwyn Du Uchaf, Llwyn Llydan, Nannerth, Nant Erw, Nant y Wrach Bach, Pant Manus, Pen y Bont, Plas yn Blaenau, Singrig, Swch yr Hafod, Tŷ Celyn, Tŷ Gwyn, Tŷ Hir, Tŷ Isa' Cefn, Tŷ Nant Isaf, Ty'n Ddôl, Ty'n Ffynnon, Ty'n Twll.

Dyma nodi un o bob fferm – y rhai a ddenodd fy llygad:

Ffrith Ucha Penddaeardor	Swch Draw Ucha
Cae Merddyn	Fedw Ganol
Cae Simdda	Cae Bach Carreg-y-Dwn
Bryniau Meirch	Cae Gwlyb
Cae Maes Madog	Ffridd Bigfain
Goros	Cae Pwll
Nant Gamgordd	Cae Tan Drws
Clwt	Adwy Galed
Cae Llochwyn	Rhos Inco
Bryn Bras Isa	Bryn Gengen
Ffridd Gwd	Cae'r Fodol
Dryll y Wriog	Bryn y Meini

Garth
Ddôl Gudun
Bwlch y Ddengai
Cae Murddunnod
Cae Fawnog

Er mai tre yw **Abergele** mae cyfeiriad yn y casgliad at gaeau. Ar un amser yr enw a ddefnyddid ar y dref oedd Abergelau – 'gelau' yn golygu 'gelli'. Roedd caeau ar Stâd Pentre Mawr yn cael eu henwi yn Gelli.

Yn 1894 roedd Deddf y Cynghorau Plwyf yn rhoi y pŵer yn gyfan gwbl i Gyngor Plwyf Abergele. Cafwyd etholiad ac yn ôl y rhestr tybiaf mai ffermwyr oedd y deuddeg a etholwyd! Roedd y rheiny yn byw yn y ffermydd a ganlyn: Hendregyda, Hendre Fawr, Pant Idda, Penybryn, Llwyni, Tyddyn Morgan, Tŷ Mawr, Bodorchwyn, Hen Wrych, Berthtopic, Tŷ Slates, Penrallt.

Mae Parc y Meirch i'r dwyrain o Abergele uwchben Llan San Siôr. Yr hen enw ar Barc y Meirch yw Dinorben ac mae fferm deuluol yno heddiw o'r un enw.

Dyma enwau rhai ffermydd o gwmpas Abergele: Hendre Bach, Garth Gogo, Brynffanigl Uchaf, Brynffanigl Isaf, Pant Idda, Henblas, Borth Wryd.

Dyma rhai enwau caeau o'r ffermydd hyn:
Dalar Gam
Patch Peel
Gweirglodd Siencyn
Caeau Gleision
Philip Llwyd
Caer Efel
Cae Parlwr
Cae Boddau
Cae Wyddfa – gweld pobman o'r fan hyn
Cae Countess – sef Macdonald Castell Gwrych
Cae Bryn Rhedyn
Gors Ceffylau
Cae y Llindir
Orsedd
Dô
Dôl Clynnog
Fallen y Felin
Pen y Corddyn Bach

Derbyniwyd rhestr o enwau caeau o 50 o ffermydd gan gangen **Gwytherin**. Roedd y rhain wedi eu cymeryd oddi ar fap y degwm. Enwau'r ffermydd oedd: Pennant, Bryn Tirion, Nant yr Henfaes, Graig Bach, Bwlch Gwynt, Pen y Fron, Bron Rhedyn, Tŷ Newydd Isa, Bron Llan, Hafod, Ty'n y Caeau, Ddolgeiri, Tŷ Isaf, Hendre, Cae'r Graig, Tyddyn Uchaf, Cae Coed, Pen Isaf, Plas Matw, Llwyn Saint, Bryn Clochydd, Tyddyn y Cwm, Bryn Tân, Bryn Golau, Bryn Bleiddiaid, Tu Hwnt i'r Afon, Dôl Frwynog, Tai Pella, Merddyn, Llethr, Cornel y Fattw, Ty'n yr Erw, Ty'n y Ddôl, Bryn Hafod, Ty'n y Bryn, Cwm Isaf, Mill Tenement (Felin Isa), Bont Garreg, Tyddyn David, Dolfadyn, Tyddyn Deicws, Pen y Graig, Public House, Bryn Iorwerth, Gorse, Bron yr Haul, Pant y Foty, Pant y Foty Bach, Glebe, Tŷ Newydd y Pennant.

Dyma flas o enwau rhai o'r caeau:

Swch Waen
Bryn Hernog
Llechwedd
Cae Heilud
Ffrith Drain Duon
Bryn y Golcerth
Clwt y Llorian
Bryn Coel
Waen Gron
Cae Meriog
Pant y Swch
Cae Haidd
Clwt Fron Llwyn y Saint
Ffrim Lom
Coed Nant yr Erw Gam
Dryll Naw Holled
Cae Suren
Waun y Plu
Cae Brych

Ddôl y Fotty
Cae o Flaen Drws
Ffrith y Cribinia
Fron y Griech
Ffrith Bothwell
Bryn y Dadlaw
Cae Tan y Fynwent
Y Ddalfa Pella
Wyddfydd Pen y Palmant
Y Gwndwn
Cae Tan y Rhiwie
Ffridd Esyllt
Ffridd Cefn y Curn
Bryn y Weirglodd
Clwt y Felin
Ffridd Rugog
Erw y Gwydde
Y Gister Las

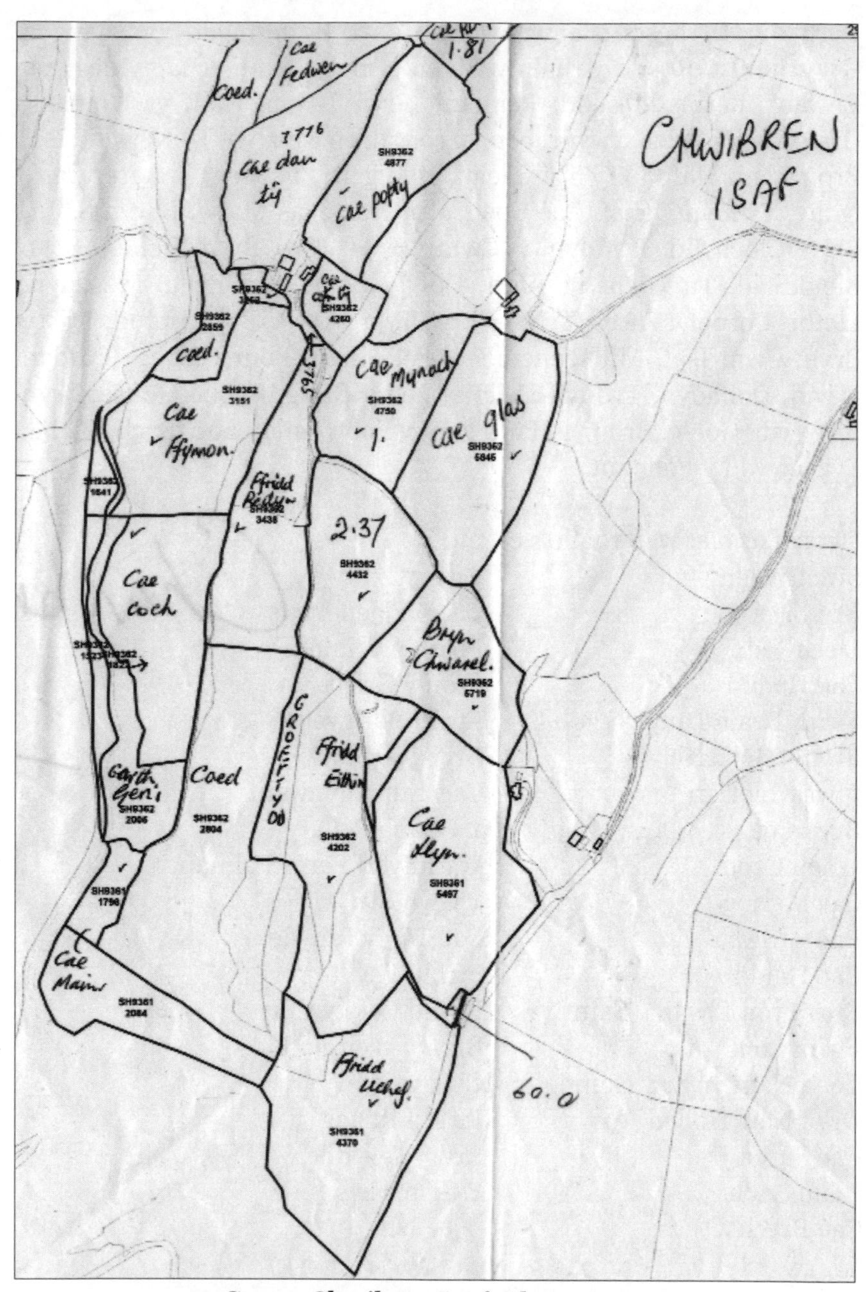

Caeau Chwibren Isaf, Llansannan

RHANBARTH GLYN MAELOR

Derbyniwyd enwau ac ystyron cynhwysfawr a diddorol o Ddyffryn Clwyd. Gan fod y rhan helaethf ohonynt yn enwau tai rwyf am gynnwys yma yr enwau oedd yn berthnasol i dir a chaeau yn unig.

Berth	mae'r gair 'perth'/'berth' yn eithaf cyffredin yn yr ardal yn dynodi llwyn o goed neu goedwig fechan
Bryn Rhedyn	'bryn' gyda'r enw 'rhedyn' (*fern*)
Bryn Tirion	'bryn' gyda'r ansoddair 'tirion' sef caredig
Bryn Yw	'bryn' gyda'r gair 'yw' sef y goeden ywen/yw
Bwlch	adwy, agoriad rhwng dau fynydd
Caer Cyn	cae gyda'r fannod 'r' a'r gair 'cŷn' sef erfyn â llafn hirsgwar a ddefnyddir i gerfio coed neu fonyn. defnyddir offer yn aml mewn enwau caeau i gyfeirio at ffurf y cae e.e. telyn, bidog, bilwg.
Fron Gelyn	'gelyn' yn cyfeirio at rhyw ddigwyddiad hanesyddol o bosib
Gallt y Ddôl	'allt' gyda 'g' wedi tyfu o'i flaen – llechwedd coediog a 'dôl' – gweundir, gweirglodd
Maes Heulyn	'maes' sef cae gyda'r gair 'heilin'/'heilyn' sef un sy'n gweini. Roedd yn enw personol eithaf cyffredin gynt.
Maes Sheat	Maes-siêd. Y tebyg yw i dir y fferm hon fynd yn siêd neu yn Saesneg '*eschant*' i'r arglwydd wedi i rhyw denant neu'i gilydd yn yr Oesoedd Canol fethu â chyflawni ei ofynion.
Plain	Mae'n bur debyg mai'r gair Saesneg '*plain*' – gwastadedd, sydd yma gan ei fod yn cyfeirio at le ar lawr y dyffryn.
Gardd	golyga 'gardd' hefyd gadlas neu ydlan. Mewn rhai ardaloedd mae'n cyfeirio at y padog neu gae y ffermdy y troid y lloeau allan iddo am y tro cyntaf.

Wern	'gwern' – lle gwlyb addas i dyfu coed gwern
Garthysnodiog	lle o dir a choed. Yn ardal Pandy Tudur defnyddir y gair 'snodiog' fel ansoddair am gae llawn mân dwmpathau.
Gwaenynog	y ffurf 'gwenynnog', sef lle da i wenyn gasglu mêl
Llindir	tir i dyfu llin (*flax*). Defnyddir llin i wneud lliain o'i ffibrau ac olew o'r hadau.
Parc	mae'r engreifftiau o 'parc' yn brin iawn yn yr ardal. Cae neu erw yw'r geiriau a ddefnyddir i ddynodi darn o dir.
Pandy	melin – nifer helaeth o bandai a melinau yn yr ardal
Trwyn Swch	mae 'swch' yn reit gyffredin. Cyfeirio at ffurf darn o dir a wneir – tebyg i ben blaen aradr
Gwninger	darn o dir wedi ei amgáu ar gyfer magu cwningod
Siglen	llaid meddal, tir gwlyb, cors (*bog*)
Clyttir	cyfuniad o 'clwt a 'tir'. Clwt yw darn o garreg felly tir caregog o bosib.
Bodynys	preswylfod wrth y ddôl. Un ystyr i 'ynys' yw dolau ar lan afon, tir gwastad ar fin dŵr.
Pantglas	enw digon cyffredin am dir a phorfa fras
Bryn Ocyn	tynnu'r og dros wyneb y tir i gladdu'r had cyn rowlio
Bryn yr Asgwrn	cefnen o dir, cymharer ag 'esgair'
Cae Serwyd	os mai 'erwyd' oedd y ffurf gwreiddiol yna fe allai fod yn perthyn i'r gair erwydydd, sef camwedd neu fai, gan gyfeirio at ryw ddigwyddiad bradwraidd
Cefn Maen	cefnen o dir + carreg
Cornych	mae'n bosib taw'r gair 'iwrch' sydd yma – math o garw bychan, bywiog a geir yn Ewrop ac Asia. Hwyrach y defnyddir 'corn' ac 'iwrch' yn yr enw dan sylw yn ffigurol am siâp darn o dir.

Diffwys	llechwedd serth, dibyn, clogwyn, tir garw, anialdir
Drws y Buddel	'buddel' yw post neu'r piler y rhwymir buwch neu wartheg wrtho mewn beudy. Mae 'drws' yn gyffredin iawn mewn enwau yn golygu adwy, bwlch rhwng mynyddoedd.
Pant Pastynog	lle'n gyforiog o bastynau, polion. Mae'n debyg fod yr enw hwn yn cyfeirio yn wreiddiol at y cyflawnder o goed oedd yn y pant neu'r cwm islaw, cymwys i wneud pastynau neu ffyn ohonynt.
Pen y Clip	'clip' – ffurf Saesneg o '*cliff*' sef allt serth, rhiw, dibyn, clogwyn

Rhestrwyd nifer hir o enwau caeau a gymerwyd o restrau dosraniad y Degwm tua 1841. Nodir fod rhestrau'r degwm yn rhai llygredig ac yn anghywir yn aml iawn oherwydd mai clerigwyr o Saeson oedd yn cofnodi'r enwau.

Daw y canlynol o blwyfi **Bodfari**, **Dinbych**, **Henllan**, **Llandyrnog**, **Llangwyfan**, **Llangynhafal**, **Llanrhaeadr-yng-Nghinmeirch** a **Llanynys**.

Roedd y blaenenwau cae, dôl, erw a clwt yn gyffredin iawn, felly dyma rai engreifftiau:

cae

Cae Pwll Taro
Cae Murog
Cae Cogsith
Cae Llingar
Cae Berthen
Cae Petris
Cae Curch
Cae Nant y Nef
Cae Perfedd
Cae Llun y Gugan
Cae'r Adlodd
Cae'r Hendy
Cae Goldin Ucha/Isa
Cae Perthi Heilin
Cae Mierog
Cae Telpyn
Cae'r Fallen
Cae Byrdir

dôl

Dôl Heylin

Dol Ucha

Dôl Lefrith

Dol y Cry

erw

Erw Fuches

Erw Capel

Erw Porth

Erw'r Big

Erw Serion

Erw'r Sychdyn

Erw'r Camdda

Erw Tŷ Bach

Erw Fain

Erw Dre Goch

Erw Llwydwn

Erw Bengarn

Erw Brwnt

Erw Glyst

clwt

Clwt Ucha/Canol

Clwt y Lloiau

Y Clwttie

Clwttia

Clwttir

A dyma rai enwau eraill:

Bryn Rhyg

Y Mawnydd

Gors Crebana

Talwrn Mawr

Maes Gochwiddfa

Ffrith y Siglen

Trwyn Swch

Llety yr Eurich

Pum Accar Surion

Bryn yr Asgwrn

Fedw Geinach

Berthen Gron

Llawog

Acr y Delyn

Bloriant Twll Fawr/Fach

Cil y Groeslwyd

Hafna Mawrion

Buarth Brwynog

Nant y Twyrch

Pant y Gynnen

Llindir

Corniwch

Bettin

Maes Node

Maesannod

Tyddyn y Calchawr

Dyma roi blas o enwau caeau yn perthyn i ffermydd arbennig:

Fferm Pentre Uchaf

Llyfrogie Ucha/Isa
Tir Ungwys
Cefn y Berth
Fron Bupur
Erw Binallt
Erw Barhir

Fferm Hafod Adams

Fron Pant y Gaseg
Tir Mab Sais
Ffridd Wastad
Ffridd y Crown
Erw Elizabeth Meredith
Erw Garnedd

Fferm Ty'n y Fedw

Erw Armon
Erw Delyn
Fron Gwinen
Clwt Erw Wastad

Fferm Penrhewl

Maes y Pant
Coitie
Erw Ddraenen
Dryll
Erw Dan Llidiart
Fron Cerrig Gwynion

Fferm Tregeiriog

Erw Gingron
Tir Cyd
Aber Gwern
Cae Pen y Geulan
Erw Ceiliog Gwydd
Clwt Bach

Fferm Plas Tregeiriog

Bryn Bannad
Cae Pantllyn
Cefnydd
Bryn Golau

Fferm y Felin

Clwt Tu Hwnt i'r Bont
Cae Gyfer
Y Bylan
Ddaear Dorri

Ffermydd Tynewydd a Phentre Gwyn

Cae Fallu
Drill y Garmon
Gwastad Delyn
Gwaith Gur Evan Goch
Prisg
Ffridd Pentre Gwyn

Fferm Pontricket

Dryll y Groes	Maes Madox
Cae Coriog	Cae Pen Stryt

Fferm yr Hendre

Wern Esgot	Cae Bach Tycha Ffordd
Cae Cleifion	Hafod yr Hedydd
Gwastad y Foel	Ddôl dan Parlwr

Fferm Tŷ Du Tregeiriog

Erw Blesen	Cae Ysgubor
Maes y Graig	Clwt Bach

Fferm Berllanhelyg

Erw Pen y Graig	Coetie Clawdd Isa/Ucha
Cae y Garnedd	Ffridd Llyn
Cae Llyn	Cae Garreg Lwyd

Fferm Penybryn Tregeiriog

Cae Berfa	Erw Frwynog
Brynie Bach	Erw Grâch
Cae Pîg	Clwt dan Ffordd

Fferm Camhelyg Uchaf/Isaf

Pant Llwynog	Erw Scotland
Hen Lwyn	Llechedd Llydan
Wern Thomas	Erw Win

Fferm Erw Gerrig

Ffridd y Gwyddel	Cae Calch
Llyndir	Fron Dderwen
Yr Acar	Cae Calch

Derbyniwyd rhestr o enwau o **Glyn Ceiriog**. Yma eto mae rhan helaeth ohonynt yn defnyddio'r blaengair 'cae'. Gweler enghreifftiau o enwau mwy anarferol:

cae

Cae Boncyn
Cae Ficerdy
Cae Meillion
Cae Swllt
Cae'r Haul
Cae Distance
Cae'r Grand Stand
Cae Deg Cornel
Cae Cleifion
Cae Gomer
Cae Nantyglog
Cae Tlawd
Cae Ocyn
Cae Rhedegfa
Cae'r Coronation
Cae Chwiler

erw

Erw Bant
Erw Hir
Erw Foty
Yr Erw Bach y Waun
Erw Felen
Erw Wladys
Yr Erw
Yr Erw Cefn

wern

Gwern y Pale
Wern Las
Wern Gron

A dyma rai amrywiol:
Bwtiasen
Tan yr Odyn
Y Rofft
Cwtia Fanny
Tan yr Eithin
Maes y Gwesty
Yr Hen Furddun
Y Crecas
Cwtia Lily
Pigs Off It

RHANBARTH MEIRIONNYDD

Cangen y Parc

Dywedir fod y Parc wedi cael ei enw o'r ffaith ei fod unwaith yn cael ei ddefnyddio fel lle i gadw moch dros nos tra byddai porthmyn yn gorffwyso. Arferai porthmyn gerdded moch o Ysbyty Ifan a'r cylch i'r Trallwng. Gelwid lle mae iard yr ysgol heddiw yn Parc Moch – ac felly y cafodd y Parc ei enw.

Cafwyd rhestr gynhwysfawr o enwau'r ffermydd a'r caeau a dyma enghreifftiau:

Fferm Cysyllten Fawr

Ffriddfawr	ffôs gorddi yn rhedeg gyda'i hochr o Llyn Corddi yn ei chornel isa
Ffridd Bigog	
Ffridd Gerrig	afon Dylo yn rhedeg rhwng y ddwy ffridd
Ffridd tan Gae'r Odyn	roedd gardd yma cyn i lif mawr Cwmtylo ysgubo'r pridd i ffwrdd.

Fferm Rhydyrefail a Ty'n-ddôl

Yn Rhydyrefail yr oedd gweinidog cyntaf (answyddogol) y Parc yn byw sef Robert Roberts. Roedd hen efail ar dir Rhydyrefail. Yn Ty'n-ddôl trigai Beti Ty'n-ddôl oedd yn gyfeillgar â William Williams, Pantycelyn.

Enw un o'r caeau yw Ddôl Capel ac mae mynwent yma.

Yr Argoed

Ffridd Bella	rhed ffordd Rhufeinig drwy hon. Yn y gornel ucha mae ogof ac yn ôl traddodiad bu cloddio am aur yma.

Cyffdy

Mae llawer o ddyfalu wedi bod ynghylch ystyr yr enw Cyffdy. Y gred gyffredin yw mai lle y rhoddid carcharorion mewn cyffion oedd. Dywed eraill mai o'r gair 'cyff'/coeden y daw.

Llwynmawr Uchaf

Caenant	rhaeadr yma
Cae Beudy Hen	hen ardd yn un gornel o'r cae a ffynnon ychydig islaw

Plas Madog

Weirglodd Fawr	mae yma hen felin. Caed dŵr i droi'r felin o'r afon Llafar. Roedd argae ar draws yr afon o dan Rhydyrefail, a rhed y ffos felin ar draws caeau Rhydyrefail a Phlas Madog.
Y Gornel Fach	coed wedi eu plannu yma

Cysyllten Bach

Roedd tŷ yma tuag ugain mlynedd yn ôl. Ceir sôn am gyfarfodydd gweddi yn cael eu cynnal yno tua dechrau'r ganrif ddiwethaf cyn adeiladu Capel y Parc.

Cwmtylo

Yma y magwyd Dafydd Rolant, pregethwr enwog yn ei ddydd. Arferai ymarfer ei bregethu oddi ucha Nyrs Coed Derw, lle roedd wedi codi pulpud cerrig. Gellir gweld y pulpud yno heddiw.

Glydffordd	lle yr arferid cario gwair hefo car llusg
Ffridd Ddu	roedd fferm yma ers talwm. Cariwyd cerrig y tŷ i adeiladu Llwynmafon.
Ffridd Ddrain	mae cofeb yma am y llif mawr ar 29 Gorffennaf 1846
Rhos Maes Mathew	ceir murddun yma

Blaencwm Isaf /Uchaf

Cae Main	ceir murddun yma o'r enw Tytandderwen
Ffridd Foty	ceir murddun y Foty yma
Ffridd Ucha Blaencwm Ucha	– ger y gornel ucha agorwyd ffos i droi dŵr o Nanthir at Blaencwm Isa. Defnyddiwyd y dŵr i gorddi a chynhyrchu trydan. Dywedir yr agorwyd hon yn wreiddiol er mwyn cael rhagor o ddŵr i droi'r hen felin ger y pentre.

Roedd llawer o'r enwau caeau yn defnyddio'r blaenddod ***cae***:

Cae Gadlas
Cae'r Gorlan
Cae Seren
Cae Llwynhir
Cae Sadler Ucha/Isa
Cae'r Garreg
Cae Brwynog
Cae Machdy
Cae Pys
Cae Merddyn

A llawer yn defnyddio'r blaenddod ***ffridd***:

Ffridd Bigog
Ffridd Grwb
Ffridd Fawnog
Ffridd Ceunant
Ffridd Tanu Dillad
Ffridd Eithin
Ffridd Meinihirion
Ffridd Beudy Bach

Llawer â'r blaenddod ***dôl***:

Ddôl Capel
Ddôl Tŷ'n Ddôl
Ddôl Rhos Foty
Ddôl Las/Goch/Wen
Ddôl Wenith
Ddolgoed Ucha/Isa
Ddôl Ucha/Isa/Bach/Fawr
Ddôl Bach Tŷ Newydd

A rhai gyda'r blaenddod ***rhos***:

Rhos Bont
Rhosdapiog
Rhos Tŷ Pal
Rhos Topyn
Rhos Ceunant
Rhos Coese Cochion
Rhos Beudy Sinc
Rhos y Fondro

Ac eraill amrywiol:

Fawnog Isa/Ucha
Buarth Budr
Gwndwn Mawr
Pantbryngwyn
Weirglodd Ucha/Isa
Rhirdir
Gwaelod Buarth Mochyn
Bedlwyn

Trawsfynydd

Dyma hanesyn o ardal Trawsfynydd.

Cwm Dolgain

Yn 1903, daeth milwyr i Fryn Golau, Trawsfynydd a dechrau ymarfer yng Nghwm Dolgain.

Fel y gellid disgwyl bu cryn newid yn y Cwm, ond ni fu raid i neb adael ei fferm hyd at ddwy flynedd yn ddiweddarach. Yn hytrach, roedd yn rhaid i bawb symud yn y dydd o tuag wyth y bore hyd saith neu wyth y nos i bebyll.

Roedd pebyll Defeidiog Bach ar ben y Feidiog ar fynydd Blaenlliw; pebyll Dôl Moch a Hafod y Garreg ar ben Llechwedd Cain; pebyll Feidiog Isa, Gelli Gain a Llech Idris wrth Penstryd a rhai Dôl Mynach Ucha' wrth Ddôl Mynydd Isa'. Rhaid oedd i bawb aros yn eu pebyll nes y byddai'r milwyr wedi gorffen saethu. Golygai hyn y byddai'n rhaid aros yn hwyr yn y pebyll ac anodd iawn i'r ffermwyr fyddai trin y tir a chasglu'r cynhaeaf. Byddent yn codi efo'r wawr i dorri a thrin y gwair, ac wrthi wedyn yn hwyr y nos. Ond er gwaethaf popeth, llwyddodd pawb i gael ei gnwd erbyn diwedd haf. Byddai teulu Defeidiog Isa yn anfon eu gwartheg i Gelli Gain yn ystod y dydd i'w cadw'n ddiogel rhag y saethu.

Yn 1905 symudodd y milwyr i Rhiwgoch a chafodd y tenantiaid rybudd i ymadael. Cwm gwag fu Cwm Dolgain wedyn. Does dim o'r annedd-dai ar ôl, dim ond ambell garreg i ddynodi lle roeddynt.

Dyma enghreifftiau o'r rhestr hir o enwau caeau yn ardal Cwm Prysor, Trawsfynydd:

Gesail Ddu	Ddôl Fudur
Moel Rwdan	Cae Plant Amddifad
Bryn y Goelcerth	Buarth Rhug
Pant y Ddraenen	Ffridd Glap
Cae Fodwan	Cae Sgwt
Rhos Goch yr Ŷd	Buarth Rhos Wen
Dol Cra	Cae Deintyr
Cae Beudy Clap	Rhos Lom
Clwt Uffern	Bryn Llestr
Byrdir	Cae Jeriw
Cae Gwragedd	Cae Tai Cynhaeaf
Fron Lywarch	Rhos Ocyn
Llechwedd Llawen	Buarth Coed Sur
Ffosiad Fisi	Adwy Chwintan
Cae Helbul	Cae Stesion

PARISH OF FESTINIOG.

LOT 1.

The Fully-Licensed Old Established Hotel

(KNOWN AS)

"The Pengwern Arms,"

together with the Livery Stables, Outbuildings, Yard, Field at back, and als

The Farm Buildings and Land

the whole of which are held on lease by the representatives of the late Mrs. Elizabeth Jones, for a term of 30 years from the 25th day of March, 1906.

(Tenant doing all repairs and maintenance external and internal.)

SCHEDULE.

NO. ON PLAN.	DESCRIPTION.	DECIMAL AREA.	TOTAL AREA.
1521a.	House, Buildings and Yard	·867	
1521	Cae Dan Ty	4·305	
1520	Cae Peniel	·945	
1099	Cae Tan Penrhiw	1·729	
1098	Ditto	3·486	
1096	Ffridd bach	3·016	
1097	Cae Penrhiw	4·625	
1103	Cae Beudy	3·[illegible]6	
1149	Waste (footpath)	·283	
1105	Ffridd Ganol (footpath)	11·127	
1135	Ffridd Ucha (footpath)	17·730	
1134	Ditto (part of)	2·998	
1150	Caeau Bach Clogwyn Brith	1·717	
1151	Ditto	1·227	
		58·801	58a. 3r. 8p.

This Commodious Hotel is substantially built of Stone and stands in an excellent position, doing a high-class summer trade with very old established connection.

Rhan o gatalog arwerthiant Tafarn y Pengwern, Llanffestiniog, sy'n cynnwys rhestr o enwau caeau

Ardal Maentwrog

Cae Nel Hughes	cae bychan wrth droed Clogwyn Tŷ Coch yn y Manod
Cae Bring	lle arferai hogiau Llan chwarae pêl-droed ers talwm
Cae Swch	ffordd yn torri drwodd i Bantllwyd
Pistyll Bach	wrth fynd i nôl llaeth i Bwlch Tocyn yr arfer oedd llenwi'r piser o ddŵr y pistyll.
Cae Wylno	arferai cwt bach pren fod yno lle tybir roedd gweithdy y brodyr Wylno
Cae Gors	yma yr arferai syrcas ddod yn flynyddol
Cae'r Hen Fynwent	tybir mai yma roedd yr hen fynwent cyn adeiladu'r Eglwys bresennol.
Cae Mein	hanes am gloddio aur yma
Cae Nyrs	coed bytholwyrdd yma
Cae Hetar	siâp haearn smwddio

Yn 1994 prynodd Buddug Medi, ***Penrhiw***, Y Bala, gartref nyrs enwocaf Cymru, sef Betsi Cadwaladr. Yn 1881 John Jones a'i deulu oedd yn byw yno ac yn ôl map y degwm dyma enwau'r caeau yr adeg honno: Cae Penrhiw, Cae Coed, Cae Uchaf, Cae Erw, Ffridd Foel, Ffridd Ffinen, Ffridd Ysgubor, Bwlch Cae Rhug, Gwastadros.

Cangen Maesywaun, Y Bala

Mae llawer o enwau caeau wedi mynd ar goll a'r rheswm yn bennaf oedd bod perchnogion ffermydd wedi marw'n ddi-blant a neb wedi cofnodi'r enwau. Enwau digon syml sydd gan y rhan fwyaf o'r caeau ond nid oes gan neb sy'n fyw heddiw y syniad lleia o darddiad ambell i enw. Felly does dim ond dyfalu bod 'digwyddiad' neu siâp cae wedi dylanwadu ar yr enw .

Dyma enghreifftiau o'r rhai a dderbyniwyd:

Cae Deg ar Hugain	Cae 'Rodyn
Cae Griafolen	Cae Top Tapie
Buarth Garw	Hen Gae Tatws
Ffridd 'Ffyle	Ffridd Weugain
Cae Bach Clwt Draenen	Cae Bach T'wnti Nyrs

Ffridd Fawnog	Cae Talcen
Cae Llochau	Gors Bryn yr Hydd
Cae Dryll	Cae Pen Llidiardau
Penbryn Cyllell	Weirglodd Wernen
Boncyn Cregog	Ffriddoedd Sinciau
Cae Tynos	Cae Robin Sion Puw
Ffridd Ddwynant	Ffridd Ddwynant
Ffridd Giât Goch	Cefnfaes Ucha/Isa
Cae Flaen Pentre	Rhos Llannerch
Buarth y Cerrig	Cae Mawrth

Cangen Nantcol

Maesygarnedd oedd cartref y Cyrnol John Jones a dorrodd ei enw ar warant a ddedfrydai Siarl I i farwolaeth.

Dyma enwau diddorol ar gaeau fferm Maesygarnedd:

Giât Gamfa Grin	yma gwelir giât derfyn Maesygarnedd a Cilcychwyn
Gweirglodd Glan y Merddwr	
Cae Sarnau	i groesi i Graig Isa
Cae Shed	safle hanesyddol, rhan o gloddfa
Cae Garnedd	hen gladdfa hanesyddol
Maeslech	
Ffridd Maes Helyg	
Gorwydd	
Gesail	

Caeau Fferm ***Pen-isa'r-cwm***

Sarnau'r Geifr	pont droed o wern- Pen-isa'r-cwm i Gaergynog. Byddai'r trigolion yn croesi ar hyd y sarn i'r Cwm Bach. Yma hefyd ceir giât gilgât.
Berth Las	
Cae'r Ffynnon	
Cae Dalar	
Hirdir	

Ardudwy

Cantref yw'r hen enw ac mae'n ymestyn rhwng tarddiad dwy afon – y Fawddach a'r Dwyryd. Tybir ei fod yn terfynu â Chantre'r Gwaelod a foddwyd rhwng 540 a 560 OC.

Llwyn March

Ychydig o ddyddiau wedi i ni fudo i'n cartref newydd yn Nyffryn Ardudwy roeddwn mewn archfarchnad leol pan alwodd rhywun arnaf: 'Sut dach chi'n setlo yn Llwyn March?' Gan mai Gwelfor oedd enw ein tŷ newydd roeddwn braidd yn ddryslyd, ond chwerthin wnaeth fy nghydnabod gan esbonio mai Llwyn March oedd yr hen enw ar y tŷ. Roedd wedi ei eni a'i fagu yn y pentref ac roedd yn cofio'r bwthyn fel murddun lle byddai ei gyfeillion yn cael hwyl yn dringo i lawr y simddai fawr a disgyn i'r aelwyd. Wedi'r sgwrs yma fuo' ni fawr o dro cyn penderfynu arddel yr hen enw ar y tŷ a Llwyn March ydi o 'di bod ers hynny.

Dyma rai o enwau'r caeau cyfagos a gefais gan gymdoges:

Cae Talcen
Cae Front
Cae Carnifal
Cae Pentre Bach
Cae Church Hall

A dyma rai o enwau'r caeau a gefais o'r archifdy:

Cae Mawr
Cae Garw
Cae Llwydyn

RHANBARTH MALDWYN POWYS

Ardal Bro Ddyfi

Daw enwau'r ffermydd a'r caeau yn y casgliad hwn o dalgylch cangen Bro Ddyfi, Machynlleth. Ceir dwy brif nodwedd ddaearyddol yma, sef y tir ffrwythlon o gwmpas yr afon Ddyfi a'i nentydd, a'r tir mynyddig sydd ar gyrion yr ardal.

Mae llawer o enwau y caeau felly yn dangos nodweddion daearyddol a chymdeithasol yr ardal.

Mewn llawer o ffermydd yr ardal ceir yr enw 'llain' sydd yn ein hatgoffa o'r drefn gymdeithasol a oedd yn bodoli yng Nghymru cyn cyfnod y Tuduriaid. Yn y cyfnod hwnnw y dechreuwyd newid o dir agored i dir wedi'i gau ac erbyn 1815 roedd bron pob darn o dir isel a gwastad wedi'i gau. Mae'n rhaid dweud i'r drefn newydd wella ansawdd y ffermio ond daeth â chaledi mawr i'r werin yn ei sgil.

Gan fod nifer o'r enwau yn gyffredin i lawer o'r ffermydd gellir eu dosbarthu fel hyn:

Cae Chwarel – roedd galw am gerrig i adeiladu ac roedd gan bron pob fferm ei chwarel ei hunan.

Caeau ac enwau coed neu lwyni ac roedd y rhain yn dangos ansawdd y tir e.e. Cae Wern – tir gwlyb; Cae Afallen – tir ffrwythlon; Cae Eithin – tir sâl

Caeau a lliwiau – Cae Gwyn yn llygad yr haul; Cae Coch yn bridd coch o ansawdd da; Cae Melyn gyda llawer o eithin yn tyfu yno

Y Gwndwn – tir o ansawdd da heb ei droi felly porfa dda yno bob amser

Weirglodd – cae gwair neu borfa dda

Nodweddion daearyddol e.e. Taren Lydan, Ffridd Ddôl, Waun, Rhos, Llechwedd

Caeau â nodweddion hanesyddol – Cae Castell, Cae Powdwr, Cae Jêl

Caeau sy'n dangos y crefftau a'r diwydiant a fu – Cae Crydd, Cae Pandy, Cae Felin

Caeau ag enwau adar ac anifeiliaid – Cae Hebog, Cae'r Cudyll, Cae'r Hyrddod

Caeau yn dangos lleoliad mewn cysylltiad â'r tŷ – Cae Dan Tŷ

Dyma nodi ffermydd a rhai o'r enwau caeau mwyaf diddorol:

Rhosygarreg

Esgair Gelphen	ceir ymadrodd 'mor syched â'r gelffen'. Roedd hwn yn llechwedd sych a chysgodol.
Caeau Cwm Gwarchae	mae i'r enw arwyddocâd i gyfnod rhyfel Owain Glyndŵr, gan fod Hyddgen a Siambr Trawsfynydd lle y cuddiai byddin Owain, gerllaw. Hefyd mae traddodiad bod ysbryd yn y Cwm ar ffurf milwr mewn gwisg o ddur. Mae'r gwarchae yn digwydd heddiw, pan ollyngir y cŵn hela i'r Graig, anodd yw i un llwynog ddianc pan fydd rhes o ynnau yn ymestyn o ben Taren Gesail i'r Clipyn Du.
Waun Iage	hen enw, efallai aralleiriad o Iago. Cesglid llawer o wair yma ers talwm wedi ei dorri â phladur a'i gario ar gar llusg
Cae Hyrddod	arferem gadw'r hyrddod cyn eu gollwng at y mamogiaid yn yr hydref yma
Rhos y Gydros	darn corsiog a nant syth byth yn sychu yn rhedeg drwyddo
Pen Herreg	ni wn ystyr 'herreg' ond gwn fod angen casglu cerrig yn aml ar Penherreg a Herreg fawr
Talyrnau	mae llawer o gaeau o'r enw yma ynghyd â fferm mewn ardal gyfagos. O'r gair 'talwrn' mae'n debyg gan fod llawer o ymladd ceiliogod yn Aberhosan yn y dyddiau a fu.

Cefngwyddgrug

Cae Wanws	lle cadw certi ers talwm. Enw ar adeilad i gadw celfi a cherti
Cae Chwarel	o'r chwarel yma y cloddiwyd cerrig i adeiladu tŷ Cefngwyddgrug
Beudy Coch	roedd gwaith brics yn arfer bod yma

Nantyfyda ac ***Esgairllyn***

Golyga 'fyda' wenyn gwyllt.

Cae Castell	roedd hwn yn wynebu Castell y Dail, sef rhes o dai ger yr afon a rhai yn byw yno ar ddiwedd y ganrif ddiwethaf. Roedd yma ŵr oedd yn gwneud clocsiau ar gyfer pobl yr ardal. Digon o goed gwern i wneud gwadnau a digon o ledr o'r ffermydd
Union Gwrach	einion ydy hwn ac mae'r cae ar ffurf einion. Daw'r gair 'gwrach' o'r ffurf 'crach' h.y. tir sâl, creigiog

Esgairfochnant

Cae Rowlyn	cae dan lwyn
Cae oddi ar y Nyrs	coed ifanc ers talwm
Cerrig Brithion	cerrig o bob lliw ar y mynydd

Cefncyfrifol

Belen	cyfeirio at yr aderyn bele. Gallt lle'r arferai'r bele nythu
Llechwedd Hanos	adfeilion llawer o dai unnos yn y cyffiniau. Ai llygriad o'r gair unnos ydy hwn?
Llwyn Seirau	sarn. Golyga le wedi ei balmantu â cherrig neu sarn i hwyluso croesi cors wlyb neu afon.

Cleiriau Isaf

Ystyr 'cleiriau' ydy 'claer' neu 'clir'. Saif y fferm ar lecyn clir.

Rhos Tŷ Bach	lle pwysig yn hanes mudiad y Wesleiaid. Dyma un o'u mannau cwrdd cynta.
Rhos Pandy	dyma leoliad Pandy lle trigai'r Pannwr
Clwydydd	mae pum gât yma

Mynachdy

Pantbedw	cae gwlyb iawn yn llawn o goed bedw
Cae Hen Dŷ	dyma lle trigai'r mynachod. Yn ôl yr hanes roeddent yn seiri da iawn.

Cwm-byr

Cae Gwaith Cwm-byr	gwaith plwm oedd yma

Felin Dulas

Cae Pynwarch	mae cronfa llyn y felin flawd rhyw hanner can llath ochr isa'r cae hwn. Fe all olygu 'pynfarch' oherwydd fel arfer roedd cae yn cael ei gadw ar gyfer y meirch pwn a gariai'r blawd i'r felin.

Dyffryn Dulas

Rhosdrensis	rhos a llawer o hen 'draens' cerrig
Cae Cilin	cae yn ymyl melin flawd Felin Dulas. Cilin oedd y lle yr arferid cadw'r blawd (odyn yw'r enw mewn rhai ardaloedd)
Cae Nant yr Hebog	hebogiaid yn nythu ar y mynydd gerllaw

Braichithel

Cae Lluast Goch	'lluest' oedd caban neu lety dros dro lle'r arferai'r bugail aros
Cae Mochyn	arferai pob fferm gadw mochyn

Aber-Hen-Felin

Pant y Glo	mae ffynnon gref ar y cae yma, a digonedd o ddŵr bob amser. Pan anfonwyd y dŵr i'w archwilio cyn ei gael i'r tŷ dywedwyd bod llawer o olew ynddo. Mae dŵr mewn rhos arall ar y fferm i'w weld yn amlwg ag olew ar ei wyneb.

Llwyngronfa

Cae Palis	'palis' yw math o berth – cae yng nghysgod perth
Weirgloth Llety Gethin	safle brwydr
Cae Ffatri	safle hen ffatri wlân

Penyglog

Cae Carlen	mae'n debyg mai enw merch y fferm oedd 'Carlen'
Ffridd Grerch	o'r gair 'gïach' – aderyn y gors

Caeau Bacheiddon

Esgair Clafrwyn	arferid y gair ar lafar yn yr ardal, sef gwellt mynydd – crawcwellt
Cae Clapiau	nifer o glapiau cerrig yma a thraw
Cae Tri William	dywed traddodiad i dri gŵr o'r enw William dorri ŷd y cae mewn diwrnod â phladuriau

Cefnrhosan

Ystyr 'Rhosan' ydy enw ar nant sy'n codi o'r rhos yng nghyffiniau Moel Fadian.

Cae Pentre	y pentre ydy Aberhosan a saif y fferm uwchben y pentref
Pemprenstyllod	mae pont bren yma wedi ei gwneud allan o estyll pren

Caecarrog

Cae Tafarn y Gwin	bu saith tafarn yn y cylch ar un adeg. Roedd hon yn un ohonynt
Dôl Llin	llin ydy '*flax*' (*linseed*)
Gronwen	hwn yn hollol grwn

Stad Garthgwynion Glaspwll

Dôl Nantsebon	awgrymir mai'r ystyr yw nant yn trochioni fel trochion sebon
Lluest y Rhos	roedd hen luest y bugail yno 'slawer dydd

Gelli Goch, Glaspwll

Cae Nawlyn	naw llyn bach
Dolydd Duon a Dolwen	Dolydd Duon yng nghysgod yr haul a Dolwen yn llygad yr haul

Cefnmaesmawr, Derwenlas

Cae Lociau	corlan i'r defaid

Glanmerin

Yn ôl chwedloniaeth Merin oedd mab Gwyddno Garran Hir – brenin Cantre'r Gwaelod. Dywedir amdano yn ffermio yn Nyffryn Dyfi.

Cae Ochrdraw Llyn	y llyn tlws yma yn boblogaidd iawn gan bysgotwyr Machynlleth
Cae Perfedd a Cae Jêl	roedd y cwm yn enwog am smyglwyr, ac yng nghwm Rhaeadr gwelir ogof a oedd yn ôl yr hanes yn guddfan iddynt. Tybed ai yng Nghae Jêl y carcharwyd y smyglwyr ar ôl eu dal, ac yna lladdwyd hwy a thaflu eu gweddillion i Gae Perfedd?
Maesmedlau	dau air, sef 'maes' a 'medlau'. Golyga 'medlau' – medelau neu fedi. Cae ŷd oedd hwn lle arferir medi'r ŷd.

Morben Mawr

Ystyr y gair 'morben' yw penrhyn neu glan y môr. Saif ar lan yr afon Ddyfi.

Ystum Wen	'ystum' yw tro neu blygiad mewn afon – sef yr afon Ddyfi sy'n amgylchynu'r darn hwn
Stablau Fach	gelwir y cae ar ôl stablau a arferai fod gerllaw'r rheilffordd oedd yn cario llechi o Aberllefenni i Lyn Bwtri i gwrdd y llongau hwylio mawr
Cae Wtra	tafodiaith yr ardal am ffordd gul

Rhiwlwyfen

Cae Bychod	gair am wartheg
Ddôl Maescwinten	'cwinten' oedd postyn tua 12 troedfedd o hyd wedi ei sicrhau'n gadarn yn y ddaear ac ar ei ben ddarn byrrach o bren yn troi ar ei echel a chwdyn llawn tywod arno, yr arferai marchogion gynt (neu briodfab a'r cwmni)

anelu ato â gwaywffyn fel campau. Hefyd fe all olygu rhaff a roir yn groes i'r ffordd cyn y dôi priodas ar hyd-ddi.

Dollgau

Cae Powdwr	gwerthai siopwr o Fachynlleth bowdwr tanio at ddefnydd y chwareli a'r ffermydd, ac yma y cadwai ei stôr o bowdwr.

Rhiwfelen

Cae Oddiar Helem	helem yn golygu tŷ gwair
Cae Stumps	cae fu yn llawn o goed ond fe'u torrwyd gan adael y gwreiddiau ar ôl
Cae Belan	tybed a ddaeth y gair 'belan' o 'belen' sy'n golygu sypiau o gawn neu wellt gwenith a ddefnyddir i doi

Eraill:

Cae Bedd Mil	dywedir fod mil o filwyr wedi eu claddu yma ar ôl brwydr fawr
Cae Nere	rhyw fath o fesur tir oedd 'nere', rhyw hanner cyfer. Mesur o dir unigryw i Faldwyn. Weithiau ceir 'nereg'.
Cae Tu ôl Llawr	mae chwedl yn sôn y darganfuwyd pen Egoes y cawr o dan dir fferm y Llawr. Dyna darddiad enw'r pentre Penegoes.
Marian	dôl wrth ymyl afon Cae Darren – croenen denau o bridd ar graig
Cae dan y Gadlas	ydlan ydy gadlas
Cae Duntur	lle yr oedd y wlanen yn cael ei rhoi allan i sychu ar fath o ffens a phegiau arni ar y top a'r gwaelod, i osod y wlanen a'i thynnu'n dynn. Dyna ystyr Cae Deutu.

Rhai enwau caeau ardal **Darowen**, ger Machynlleth:

Cae Garreg Lwyd	un o gaeau fferm Rhosdyrnog lle saif y fwyaf o'r tair Carreg Noddfa ym Mhlwyf Darowen. Mae'n mesur tua 7 troedfedd a hanner o uchder a 13 troedfedd o'i chylch.
Pant yr Hen Eglwys	darn o gae Penrhiwfelyn ar fferm Rhosdyrnog. Yn ôl yr hanes, yr oedd eglwys ar y safle yma. Pan gafodd y cae yma ei aredig yn 1870, fe drawyd ar lawer o gerrig, tua 6 modfedd o dan y wyneb. Wedi clirio'r tir gwelwyd sylfeini adeiladwaith cadarn 25' wrth 18' wrth 20' gyda charreg y drws wedi treulio wrth gornel y gogledd. I'r dwyrain o'r sylfaen roedd clogfaen gymharol gron ac oddi tani geudod 2' o led a 3' o ddyfnder. Fe godwyd y cerrig i gyd yr amser hynny er mwyn cael trin y tir, gwaetha'r modd erbyn hyn!
Moel Gwilym	ceir yma amryw o domennydd pridd, rhai hirgrwn, a chrwn yn mesur hyd at 30' o hyd. Yn ôl rhai, hen feddau ydynt, neu fythynnod pridd, ond mae'n debyg mai magu cwningod oeddent yno!
Lleiniau	mae'r cae yma yn ymyl pentref Darowen. Mae'n siŵr fod y trigolion ers talwm yn cael llain o dir i dyfu cnydau.
Cae Gwaith Gŵr Bach	maint y cae yma ydy dwy acer a hanner, a disgwylid i ddyn dorri'r gwair arno mewn un diwrnod
Cae Cwilt	cae gyda darnau gwlyb a sych bob yn ail yw hwn – yr un fath â chwilt wedi ei wneud o glytiau
Cae yr Odyn	safai odyn galch ar gornel y cae yma ar un adeg

Enwau caeau Cymraeg yng Nghroesoswallt

Part under Coed y Gaer
Above Coed y Gaer
Cae Cochwyn
Cae Bach
Cae Gwilian
Cae Main
Cae Llwydiart
Cae Cochwyn
Pwll Brwynog Bach
Pant y Carinddu
Cae Cefyl
Brwynog Mawr
Cae y Ysguberau
Fron y Pwll
Erwhir
Cae Canol Mawr
Cae y Betton
Tir y Bwlch
Cae Glas
Maes y Glwydd
Maes y Glwydd Ucha
Fron Fawr
Cae Belthyr
Cae Ucha
Cae Newydd
Cae Newydd
Cae Ysgubor
Hir Dir
Cae Kiln
Upper Hen Bent
Lower Hen Bent
Erw Naidd
Roft
Upper Tir Shomen
Roft
Little Nant y Gollen
To Gynyr
Go

Er mae tref yw **Croesoswallt** mae sawl enw diddorol yno sy'n mynd nôl i'r adeg pan fyddai'r ardal yn fwy gwledig a thiroedd o gwmpas:

Heol Rofft	yn dod o enwau'r caeau a adwaenid fel 'Crofty-Spytt' sef enw ysbyty canoloesol Urdd Sant Ioan a sefydlwyd tua dechrau 13eg ganrif gan Esgob Reyner, Llanelwy.
Maesyllan	cysylltir y tir yma gyda brwydr Maeserfleth yn y 7fed ganrif pan gafodd Oswald o Northumbria ei ladd gan y brenin Penda o Mercia
Cae Nef	credir mai yma y bu'r brenin Oswald farw a dyma lle roedd ysbyty'r dref tan yr 80au
Maes y Gâd	mae hwn yn ymwneud eto gyda brwydr Maeserfleth
Maes y Garreg Lwyd	roedd carreg enfawr yn sefyll ar y caeau yma. Disgrifir ei maint fel 3 llath o uchder a thros 5 llath o'i chylch. Mae Eglwys Efengylaidd yma heddiw o'r enw Garreg Lwyd.

Enghreifftiau o ardal **Llangadfan**:

Craig Eifer	sef geifr
Cae Gesail	yng nghysgod y graig
Cae Foty	hafoty
Rofft Canol	crofftau
Cae Batin	gwair wedi sychu i'w losgi fel mawn
Cae Tail Gwarthaig	sylwer ar y ffurf lafar o gwartheg
Cae Ffena	cenhinen Pedr
Cae Siagog	glaswellt y 'bwla' yn tyfu drosto ac yn wydn iawn i'w drin
Cae Melyn	bob amser yn yr haul a gwenith yn disgleirio ynddo

Enghreifftiau o ardal **Cemaes** a **Chomins Coch**

Cae Cwilet	llain o dir hir oedd y 'Quillet' a osodwyd ar rent blynyddol i dyddynwyr. Doedd fawr o anogaeth i'w wrteithio gan mai rhywun arall fyddai'n manteisio y flwyddyn nesaf, felly roedd yn dir anffrwythlon mewn cyflwr gwael.
Cae Risgiau	cysylltiad â'r arferiad o dorri rhisgl coed derw a'i werthu i'r tanerdai i drin crwyn
Cae Talhaearn (Cattel ar lafar)	– lladdwyd Merfyn 'Frych', brenin Powys a Gwynedd yma yn 844 wrth geisio gwrthsefyll y Saeson. Cyfeirir at yr ymladdfa fel Brwydr 'Kettel' (Catel-Haearn). Dilynwyd ef gan ei fab Rhodri.
Allteinion	yr hen enw arno yw Allt Einion Goch sy'n awgrymu cysylltiad ag Einion ap Seisyllt a gymerodd Caereinion Fechan ar brydles oddi wrth Llywelyn ein Llyw Olaf, ac yna troi yn ei erbyn drwy dalu gwrogaeth i dywysogion Powys.

Fel y byddai tiroedd yn cael eu gwella drwy osod pibau clai yn rhesi drwy y rhosydd, a chlirio'r tyfiant gwyllt o eithin, drain a rhedyn cyn aredig a gwrteithio, crëwyd caeau newydd. Byddai wedyn angen enw addas ar eu cyfer. Yr enw mwyaf cyffredin oedd 'Cae Newydd', ac fe nodir yr enw saith o weithiau ar ddogfennau Degwm Cemaes. Pan luniwyd dôl newydd o'r gors rhwng Cattel ac Allteinion rhoddwyd yr enw Llywedrog arno.

RHANBARTH CEREDIGION

Ardal Ffostrasol

Cafwyd casgliad cynhwysfawr iawn o gangen y Garreg Wen, yn ardal Ffostrasol. Mae'r casgliad yn cychwyn gyda diffiniad o enwau caeau sydd yn wir am enwau ar draws Cymru:

> 'Mae'r mwyafrif yn ddisgrifiadau eglur o'r cynnyrch mwyaf cyffredin a dyfid yn y darn hwn, nodwedd o'r tir e.e. dôl neu fron; nodweddion arbennig ar y tir e.e. bwthyn, llyn, rhod ddŵr, ffos. Ond ceir hefyd rai enwau sydd yn ddisgrifiad o rywbeth hanesyddol neu ddigwyddiad ac, erbyn heddiw, dyfalu yn unig wna'r darllenwr neu greu cysylltiadau â digwyddiadau nodedig.'

Yn gymen o fewn cloriau
Fe nodir enwau caeau
A rhoi ar gof y sawl a'u gwêl
A'r oes a ddêl drysorau.

Emyr Davies

O'r rhestr gyflawn rwyf am nodi y rhai sydd yn cynnwys esboniad am yr enw ynghyd ag enw'r fferm:

Fferm Alltmaen (Alltmân)

Cae Gwyn	mae llawer o gerrig gwyn yn y cae
Cae'r Garthen	tybir mai disgrifiad o siâp y cae a geir yma
Cae Llynne	defnyddir y gair 'llynne' yn yr ardal i ddynodi llynnoedd
Cae'r Delyn	cae ar siâp telyn (triongl)
Cae Big	cae yn dirwyn i bigyn ar un ochr (e.e. cae triongl)
Cae Rhod	lle bu rhod ddŵr yn gweithio'n ddiwyd
Cae Llyn Rhod	yn y cae hwn roedd llyn a gronnwyd er mwyn sicrhau cyflenwad o ddŵr i droi'r rhod

Fferm Bachyrhew

Lleolwyd un o ysgolion Gruffudd Jones yma rhwng 1674 a 1777.

Cae Wardrope	cae a enwyd ar ôl y gŵr a'r wraig a drigai mewn tŷ cyfagos – Mr a Mrs Wardrope

Fferm Bargoed

Cae Shemi	'Shemi' neu James
Cae Ffin Cwmhyar	ansoddair yw 'hyar' yn golygu llyfn, gwastad
Cae Clun	'clun' yn golygu dôl, gwaun, prysgwydd
Cae Carreg Wen	ar gornel allanol y cae hwn lleolwyd y 'Garreg Wen' a anfarwolwyd gan y bardd Sarnicol. Roedd y gornel yma rhwng Talgarreg a Chapel Cynon yn fan cyfarfod i ferched a bechgyn ers talwm.

Fferm Birdlip

Birdlip	Mae T. Llew Jones yn dweud mai adar yn hedfan o un graig i'r llall yw ystyr Birdlip. Ystyr arall yw bod y tirlun yn edrych fel pig aderyn. Mae'n llydan ar y gwaelod ac yn mynd yn bigfain â thro yn y pig.
Cae Joseph	Roedd fferm gyfagos, Gilfachdafydd, yn bridio defaid a Joseph oedd y perchennog. Roedd rhai o'i ddefaid yn crwydro i mewn i un o gaeau Birdlip ac felly gelwid y cae yn Cae Joseph. Roedd ffawydden yn un o gaeau Gilfachdafydd ac yn ymyl y goeden yma cymerodd Joseph ei fywyd gyda dryll.
Cae Cefn Capel	gerllaw hen safle Eglwys Tregroes
Fron Gloigen	roedd tŷ o'r enw Abergloigen yma cynt ac mae seiliau'r tŷ yno o hyd. Mae nant o'r enw nant Gloigen yn tarddu yn y cwm gerllaw sy'n rhedeg i afon Cerdin.
Cae Foxhole	tybir mai tyllau cadnoid oedd yn y cae. Dywedir bod tŷ o'r enw Foxhole yno a bod y

fenyw oedd yn byw yno wedi mynd adre un tro a chael gwiber yn gorwedd yn dorch yn y gwely.

Fferm Blaenhafod

Cae Rhewyn	ffos/tarddiad dŵr yn y cae

Blaenafon

Cae March	roedd yn draddodiad i berson fynd â march o frid arbennig o gwmpas y ffermydd er mwyn sicrhau meirch cadarn, cryf. Cedwid y march mewn cae cyfleus i'r ardal.
Parc yr Ychen	hen enw pan oedd ych yn gyffredin ar ffermydd
Cae'r Hewl	enw newydd ar y cae pan grëwyd heol/ffordd newydd i lawr o'r ffordd fawr i'r fferm

Blaen Cerdin Fach

Sofol Fach	blodyn melyn yw sofl felly tybir bod cnwd da o'r blodyn yn tyfu yn y cae.
Parc Hytir Hir	'hytir' (enw benywaidd) sef tir wedi ei aredig o dalar i dalar, hyd cwys; ystad, wythfed rhan o filltir.
Hirlwm	tir llwm
Parc y Rhubach	'yr hybarch', sef parc a oedd yn eiddo i rywun uchel ei barch
Parc y Rhic	lleoliad y 'rhic wair' (tas wair)

Blaen Cerdin Fawr

Cae Tri/Cae Pump	dynodir y nifer o ochrau i'r cae
Cae Brenin	mae cofnod bod Harri Tudur (a ddaeth yn Harri VII) wedi gwersylla yma ar ei ffordd i frwydr Bosworth yn 1485. Mae hanes hefyd yn dweud bod byddin o filwyr wedi gwersylla rhywbryd ar fanc y Moc – o bosib

	byddin a ddaeth allan o hen gastell Castell Newydd Emlyn o dan arweiniad Rhys ap Tomos i uno gyda Harri ar ei daith drwy'r wlad.
Castell	
Shwrwd	Dyma air diddorol. Byddai'r hen ffermwyr yn sôn am 'shwrwd eithin', sef eithin wedi ei falu. Yr ystyr felly yw darnau bychan, gweddillion, sbwriel, rwbel. Tybed a yw'n cyfeirio at dir diwerth neu adeilad simsan a oedd wedi ei godi yno?
Cwmarch	
Banc Iet Harn	pur anghyffredin oedd iet (gât) o haearn ar fwlch cae gan mai gatiau pren a welid ran amlaf. Roedd gât haearn felly yn teilyngu bod yn enw cae!
Banc Rwff	nodwedd o'r tir – rwff/garw
Clawddmelyn	
Fron Goch	darn o dir yn wyneb yr haul ac yn dueddol o losgi'n goch yn yr haul.
Cae'r Ysgol	mae'r cae hwn yn ffinio ag adeilad Ysgol Capel Cynon. Enw'r ysgol i ddechrau oedd Ysgol Pantygiach sef enw'r bwthyn a fu ar y cae cyn hyn, a chan eraill yn Ysgol Clawddmelyn, sydd ar bwys.
Fferm Dinas Cerdin	
Dinas Cerdin	ceir ogof a chaer o'r Oes Haearn ar dir y fferm
Cae Cnwc	mae'r 'cnwc' yn cyfeirio at y gaer
Cwm Cerdin	anfarwolwyd y lle hwn mewn cerdd gan T. Llew Jones

Fferm Darren

Cae Cwmins — tir comin ar un adeg

Cae Rhacs — tybed ai gwersyllfa pobl grwydrol yn casglu hen ddefnyddiau oedd yma ers talwm?

Ffoshelyg

Cae Cete — tybir mai 'cytir' sydd yma sef darn o dir hir, main

Cae Crofft — 'crofter' – pobl oedd yn toi tai to gwellt. Y cae yn addas i dyfu'r gwellt a ddefnyddiwyd i doi tai to gwellt.

Cae Besbwch — ceir 'bes' am dir corsiog a 'bwch' – y gwryw o blith amryw greaduriaid.

Cae Iet Wen/Cae Iet Goch – roedd bythynnod i'r gweithwyr ar y caeau hyn. Mae bwthyn Iet Goch yn dal i sefyll ond adfail yw bwthyn Iet Wen.

Cae Gwar Llyn a Cae Gwarcwm – caeau ysgwydd (gwar) y llyn/y cwm

Ffos-y-Ffin

Rasol — mae 'asol', '(y)r asol' yn dalfyriad llafar o atsofl, sef tir âr a adwyd heb ei droi am flwyddyn neu ragor.

Gernos

Cae Nuw — ceir dau sillafiad i'r lle hwn – Cae Nuw a Chae New. Credir mai yr ail sy'n cyfleu'r ystyr gan mai Saeson oedd yn byw yma. Yn ôl y sôn roedd fferm y Gernos yn cadw moch ac ar ôl eu lladd cuddiwyd nifer ohonynt ym mwthyn Nuw er mwyn twyllo'r awdurdodau. Sonnir am y perchennog, a oedd yn berchen hers, yn cludo'r moch yn y cerbyd hwnnw i Lundain. Cafodd y plismon syndod pan stopiwyd yr hers a gweld y teithwyr rhyfedd!

Pishyn Deunaw/Pishyn Pedwar – cyfeirir yma at fesur y tir – 18 a 4 erw

Cae Ffrynt y Gernos	roedd mynwent cŵn yn y cae hwn a hyd heddiw mae'r cae yn llawn cennin Pedr yn y gwanwyn

Glyniscoed

Cae'r Neuadd	enw diweddar. Adeiladwyd Neuadd Ffostrasol yn y cae hwn.
Cae Eithin	roedd 'Cae Eithin' yn gyffredin yn yr ardal. Tyfwyd llond cae o eithin i'w gynaeafu'n ifanc er mwyn bwydo'r ceffylau.
Cae'r Hostel	lleolwyd hostel y '*land girls*' yn y cae hwn adeg yr Ail Ryfel Byd. Heddiw mae 8 tŷ cyngor unllawr ar y safle.
Cae Gilffet	roedd bwthyn yma yn ymyl y pwmp dŵr neu 'plwmp'. Roedd deiliaid y bwthyn yn gwneud olwynion ceirt.
Cae'r Engine	Byddai'r Cyngor Sir yn cadw'r rholiwr mawr a'r injan dar mewn bwlch wrth ymyl y cae hwn yn ystod cyfnod gwella'r ffordd a chyn codi depo Penrhos

Fferm Llethr Mawr

Parc Llafur Lloegr	cyfeirir at 'llafur yr India'. Tybir bod yr enw yn cyfeirio at ffynhonnell yr had.
Parc Ceirch Bach	Ceir 'ceirch cwta', 'ceirch gwyn cwta' a 'ceirch du bach'. Tybir bod yr enw yn cyfeirio at un o'r rhain neu at gnwd bychan o ran maint.

Moc

Cae Siston	gosodwyd piston neu bwmp yma i dynnu dŵr gan fod tarddiad neu ffynnon ar y tir
Cae Llwyn Stôl	tybir y defnyddiwyd y math o bren (helyg) a dyfai yn y cae hwn i wneud cadeiriau neu stolion godro

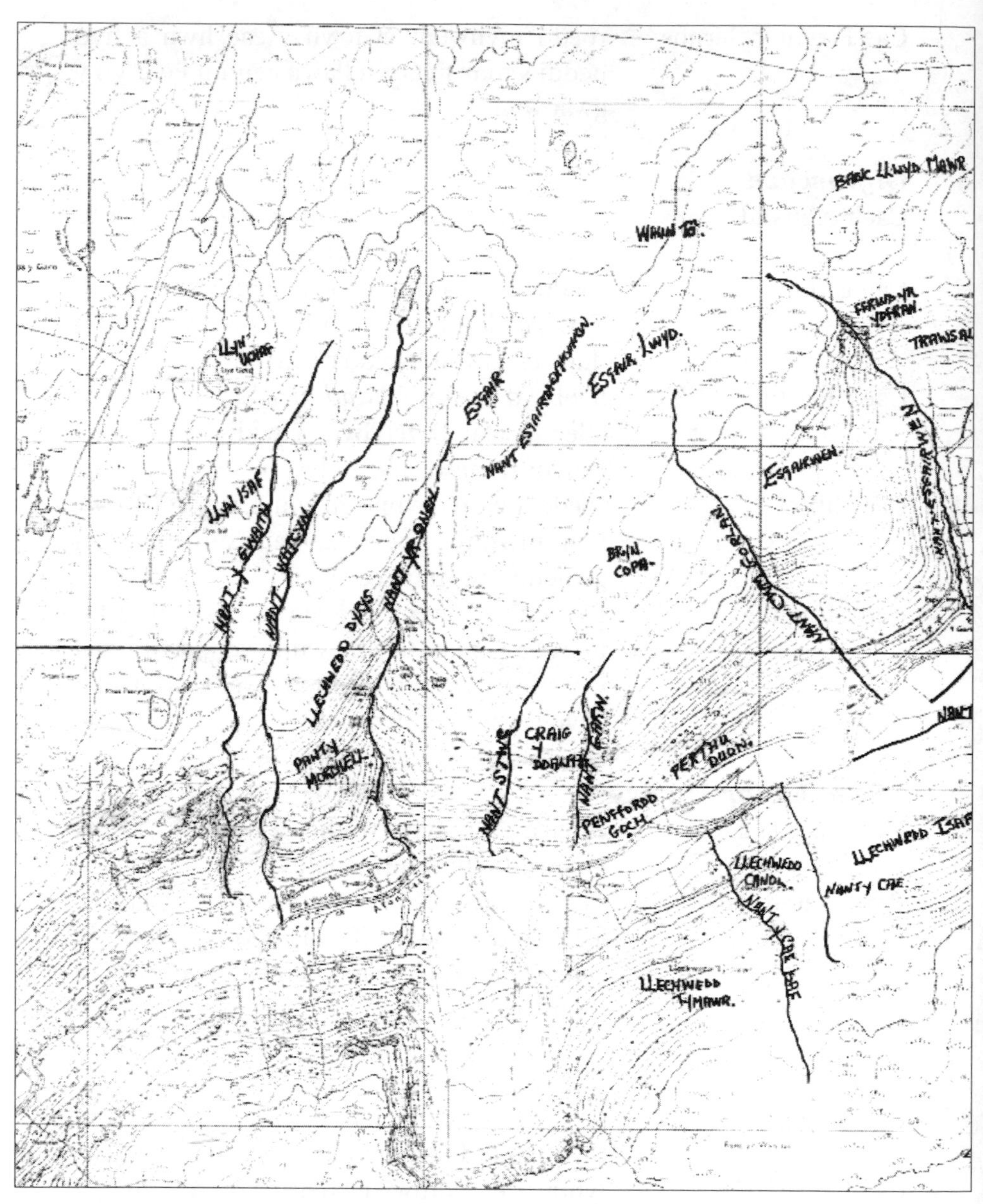

Mynydd Tyllwyd, Cwmystwyth
Enwau llecynnau ar y mynydd, a ddefnyddiwyd gan fugeiliaid y gorffennol (Mynydd Agored)

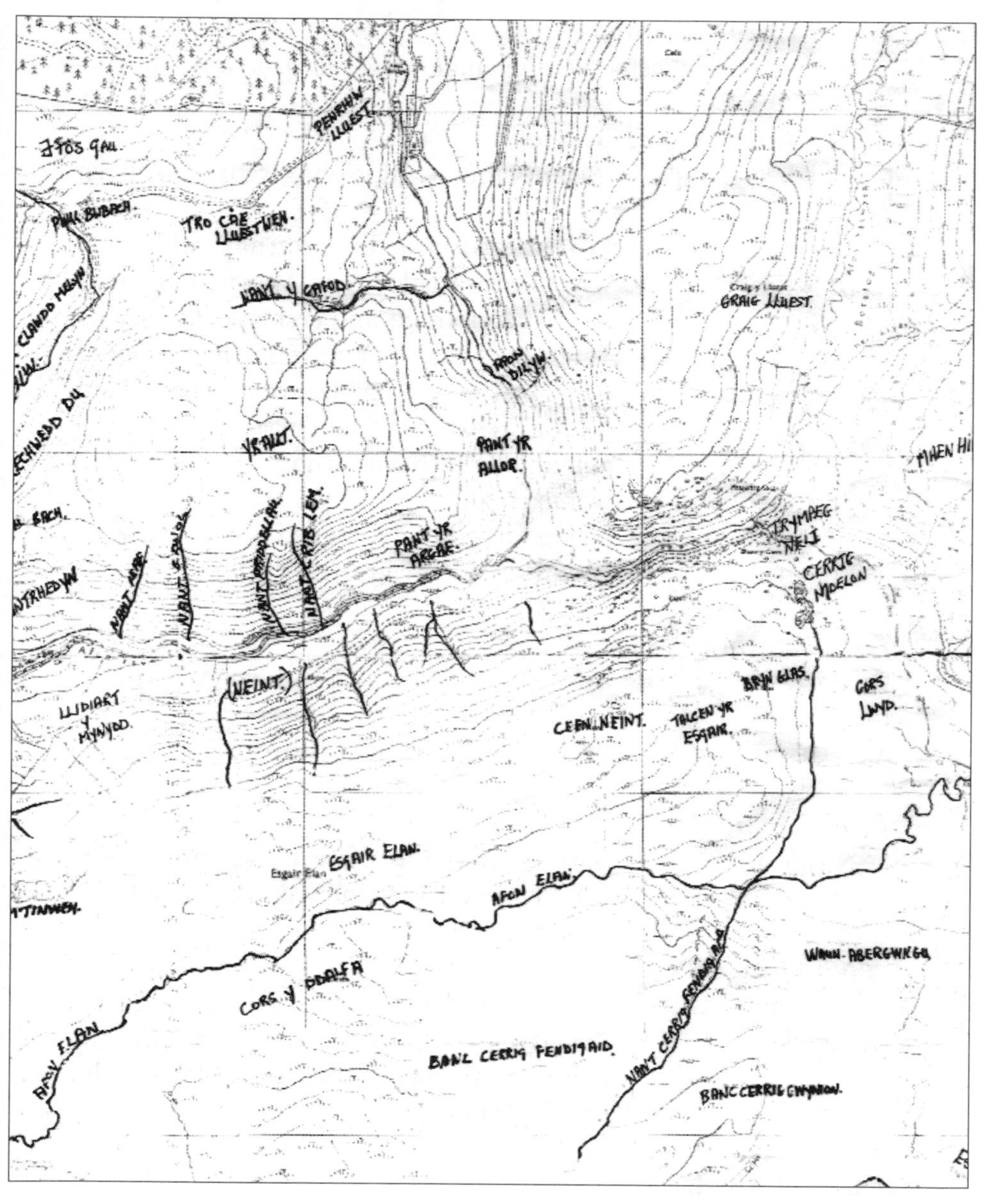

PENRHIW LLUEST
TRO CAE LLUESTWEN.
NANT Y GAFOD
GRAIG LLUEST
YR ALLT
PANT YR ALLOR
PANT YR ARGAE
NANT CRIB LEM
(NEINT)
LLIDIART Y MYNYDD
CEFN NEINT
TALCEN YR ESGAIR
BRYN GLAS
CORS LWYD
CERRIG MOELON
ESGAIR ELAN
Esgair Elan
AFON ELAN
CORS Y DDALFA
BANC CERRIG FENDIGAID
BANC CERRIG GWYNION
WAUN ABERGWNGU

Fferm Nantycwnstabl

Cae Herbert Fawr/Fach – lle i fugeiliaid gysgodi (*arbour*)

Pantyrefail a ***Llwynsgweier***

Mae'n debyg fod Teulu Bach Nantoer, Moelona, wedi ei leoli yn Llwynsgweier.

Cae Lleine	hyd at 1500 roedd Cymru y wlad heb wrychoedd a chloddiau. Mewn rhannau o sir Ceredigion nid un perchen oedd ar y tir ond cymdeithas gyfan. Amser hau rhennid y tir rhwng y trigolion yn lleiniau. Ond wedi'r cynaeafu deuai'r tir yn rhydd i anifeiliaid pawb bori arno.
Cae Plwmp	pwmp dŵr
Cae Diffrwyth	doedd fawr ddim yn tyfu yn y cae yma!
Cae Rodyn	yma y lleolid odyn rawn ar gyfer y fferm

Fferm Pantbach

Cae Siprys	cae lle tyfid barlys a cheirch yn gymysg
Waun dan Tŷ	
Waun Ganol	tir llaith, gwlyb neu gorsiog

Fferm Sarnicol

Cae Sarnicol	'sarn' = llwybr neu ffordd sy'n croesi dŵr, corstir, tywod + 'Nicol' = enw personol

Troedyrhiw

Cae Offeiriad	roedd Troedyrhiw yn ficerdy ar un adeg
Cae Ceffyle	mae hwn yn gae lled fawr ac o ansawdd eithaf llwm felly yn gae delfrydol i gadw ceffylau'r fferm.

Ardal Felinfach

Blynyddoedd maith yn ôl roedd stad Brynog yn ymestyn o Dalsarn i Demple Bar ac i lawr tua Ciliau Aeron. Ar droad y ganrif roedd fferm Tŷ Newydd yn rhan o Stad Brynog.

Roedd teulu o 10 brawd a 2 chwaer wedi cael eu magu yn Gwrthwynt Isaf, sef tyddyn oedd yn rhan o'r stad. Tua 1920 cafodd Simon Davies, un o'r brodyr y cyfle i brynu rhan o'r stad. Yna cafodd 3 brawd arall y cyfle i brynu gweddill yr stad. Fe rannon nhw'r caeau rhyngddynt a chytuno bod un yn cael y plas i fyw ynddo, un yn cael bwthyn ac un i drawsnewid adeilad oedd yn ysgubor ac yn lle i gadw cert y ceffylau.

Daeth yr enw Tŷ Newydd ar y lle oherwydd bob nos ar ôl gorffen eu gwaith ar y tir, byddai'r brodyr a'r gweithwyr yn dweud wrth ei gilydd – 'dewch i weld sut mae'r tŷ newydd yn dod mlân' – ac fe wnaeth yr enw sefyll.

Caeau fferm Tŷ Newydd

Cae Ceffyl	cae bach – digon o le i gadw ceffyl
Cae Carrington	enwir ar ôl yr Arglwydd Carrington o Lundain a fu'n berchen y stad gyfan ar un adeg
Bwlch-y-Wernen	coed gwern yn tyfu o gwmpas y cae
Cae Dic	Dic oedd un o weision y Plas â gofal am y cae hwn
Cae Dai	Dai - fel uchod
Dolau (llaw dde/llaw chwith) – dolau ar lan yr afon Aeron	
Dolau Berllandeg	cae drws nesaf i fferm Berllandeg
Dolau Mawr	y ddôl fwyaf
Dolau Pellaf	y ddôl bellaf o'r fferm
Cae Theatr	cae drws nesaf i Theatr Felinfach
Dôl Ann	cae lle'r oedd Ann, un o forynion y Plas, yn gweithio
Dôl Bont	dôl nesaf i'r bont dros afon Aeron
Cae Mawr/Bach Delme	yn y 1990au cafwyd cyfle i ychwanegu'r caeau hyn oddi wrth gymydog da, sef Delme Vaughan, ac mae yr enw wedi sefyll

O ardal **Llanafan** cafwyd rhestr o enwau caeau, ond yn ddiddorol maent yn defnyddio y blaengair ***ca*** yn hytrach na ***cae***:

Ca' Brwyn	Ca' Primin
Ca' Garw Bach	Ca' Waunanllwch
Ca' Dderwen	Ca' Dan Felin
Ca' War Lein	Ca' Gâr
Ca' Wener	Ca' Tatw Pit
Ca' Jac Ifans	Ca' Mari Parri
Ca' Clwt	Ca' Pwll Domen

O ardal **Aberteifi** cafwyd rhestr o enwau gyda'r blaengair ***parc***. Mae'r blaengair 'parc' yn gyffredin ar gaeau sir Benfro ac yn ddiddorol mae'r caeau yma ar y ffin rhwng Penfro a Cheredigion, felly mae'n amlwg fod dylanwad iaith sir Benfro ar y ffermydd hyn. Dyma enghreifftiau:

Fferm Trefwtial, Tremain

Parc yr Eglwys	Parc Cwarel
Parc Rofft	Parc Cefen
Parc Main	Parc y Garth

Fferm Dyffryn, Llangoedmor

Parc yr Ydlan	Parc y Goeden
Parc Tirion	Parc Gwenyth
Parc Cwningod	Parc Tincer

Fferm Treprior, Tremain

Parc Ysgoldy	Parc Waunlli
Parc Clofers	Parc Nocell Uchaf/Isaf
Parc Gwair Cwrt	Parc Shop

Mae ***Stad Trawscoed*** ger Aberystwyth yn hen stad enwog a dyma enghreifftiau o enwau caeau yno:

Cae Dudlyke	Maesdiffrwd Uchaf/Isaf
Cae Brwynog	Waun Gwineu
Palu Mawr/Bach	Cae Hen Llaethdy Uchaf/Isaf
Cae Pond Bach	Cae Cwmnewidion

Rhestrau o enwau yw'r gweddill a dderbyniwyd felly dyma eu gosod mewn ardaloedd gydag enghreifftiau:

Tre Taliesin

Cae Caban
Cae Commins
Cae Glan y Figyn
Cae Llygod Pella/Nesa
Cae Llon
Cae Fagwyr Hen
Cae Pompren yr Ych
Rhos Domled
Cae Cred
Cae'r Pill

Ardal Aberporth

Parc Pwdwr
Parc y Brwnt
Parc y Brodyr
Parc Cwarel
Parc y Winsh
Parc ochr draw Rhywun
Parc y Ffowls
Cefen Ucha/Isaf/Canol
Parc Railing Uchaf/Isaf
Hewl y Berth
Llain Macyn – darn o dir i'r sipsiwn
Yr Offt Fawr/Fach
Plas-y-Mwg
Cae Jalopi
Cae Cnwcymanal
Parc-y-Broga
Cwm Parc Gwair
Cae Pretoria
Cae Ben y Môr

Tresaith

Fferm Dyffryn Saith

Maes Isaf/Uchaf
Parc Llwyd y Garn
Y Ddôl
Cae Frân
Cartws
Penrallt Cwarter

Fferm Pantgwyn, Tanygroes

Parc Diffaeth
Dôl Penlan
Parc yr Ydlan
Parc Postyn
Parc Dau Hanner
Parc Nos

Fferm Henllys/Blaensaith Isaf, Tanygroes

Parc Minffordd
Cae Groes Heol
Parc y Bariwns
Parc Lôn Ffynnonfair
Parc Dan Twlc
Parc Fron Dwy Hanner

Ardal Dihewyd

Cae Calch
Cae Hadau
Cae Sarn
Y Waun
Cae'r Helmi
Cae Tato
Godre Isaf/Canol/Uchaf
Banc Foel Fach

Ardal Bwlchllan

Cae Trichornel
Cae o War Tŷ
Cae Moch
Cae Swnd
Cae Pyllau Dŵr
Fron Neuadd
Cae Coch/Glas/Melyn
Cae Crug

Ardal Talsarn

Cae Eden
Fron Waring
Cae Teilwr
Hendregau
Cae Dan Glownant
Stacan Adda
Cae Hetar
Cae Joseff
Pabilion
Cae Cwm
Cae Ddeintir
Cae Cefen Cyfraith
Cae Ysgall
Novaskosha
Cae o War Ydlan
Cae Pella Draw

Ardal y Dderi

Cae Dwl
Cae Gwastod Lan
Cae Plow
Cae Sêl
Cae L
Cae Tŷ Cwrdd
Cae Cwmins Uchaf/Isaf
Cae Poni
Cae Pen Cwar
Cae Maesyradwy

Ardal Tregaron

Cae Pant Coi
Cae'r Adle
Cae Potel Inc
Cae Rhibo
Pishyn Grôt
Cae Troed yr Ebol
Cae Siams
Esgair Wen/Ddu
Cae Ffeito Ceilogod
Cae Bola Wil
Cae Tolcog
Rhos Cyffile

Gors yr Ŵyn	Cae'r Fagwyr
Cae Crimp Ucha	Wern Gabwd
Cae Cwtin Du	Cae Gelli'r Bedd
Cae Sali	Cae Ffald
Cae Cleifion	Cae Magwrn (adfeilion)
Dolfeinog	Cae Sofol Bys

Cafwyd casgliad cynhwysfawr a manwl o ffermydd gydag enwau caeau yn **ardal Glynarthen**, a gellir ond nodi enghreifftiau yma:

Waunfawr – tŷ fferm
Waun oedd yr enw gwreiddiol ac, mae'n debyg, yn rhan o stad Aberarthen Fawr. Fferm odro brysur iawn erbyn hyn.
Enghreifftiau o'r caeau: Parc Gwyn, Cae Cefen, Parc y Beddau

Gellideg – tebyg ei bod wedi ei henwi ar ôl 'gelli' (coedwig)
Enghreifftiau o'r caeau: Parc y Brwyn, Caeau Gellifach, Cae Dan 'Rhewl

Penbontbren – fferm oedd yn rhan o stad Plas Gogerddan, Aberystwyth yn wreiddiol. Roedd llawer o ffermydd yr ardal hon yn wreiddiol yn rhan o'r stad yma. Prynwyd y fferm yn 1890 am £800. Mae nawr yn lle gwyliau a'r tai allan wedi eu haddasu yn leoedd aros. Bu'n westy am gyfnod.
Enghreifftiau o'r caeau: Parc y Nice - cnwc; Parc Goleua – man golau iawn; Warren Fawr/Fach – warren cwningod yma

Deinol – gelwid hefyd yn Ffynnon Ddeinol/Ddinawl. Hen fferm dy lle y dechreuodd achos y Bedyddwyr yn yr ardal. Fferm sylweddol ei maint.
Enghreifftiau o'r caeau: Parc yr Herber, Parc Glan Sidan (am ei fod yn gysgodol), Parc Plwy Betws (erw yr ochr draw i'r nant ffin)

Capelgwnda – hen fferm o 80 erw. Wedi ei henwi mae'n debyg ar ôl hen gapel wedi ei gysegru i Sant Gwyndaf, oedd yn y cwm. Credir mai lle mae'r Rectory nawr yr oedd y capel. Mae'r perchennog presennol yn godro defaid i wneud caws.

Enghreifftiau o'r caeau: Cae Waungolby, Waun Drench, Ropier, Y Ffald

Fferm Cefnmaes Mawr/Cefen Maes

Mae dau gae yma sy'n haeddu sylw:

Cefn y Gist	yn ôl hanes, yng Nghefn y Gist yr oedd cist gladdu wedi ei chloddio allan rywbryd yn 19eg ganrif, a thorch aur wedi ei darganfod
Dôl Saint	yn ymylu ar dir yr Eglwys

Pwllpair – bu ffatri wlân yma ar waelod y tir ar un adeg.
Enghreifftiau o'r caeau: 'Rardd Isaf, Rhos Fach, Penybanc, Parc y Pwll

Gilfach (Gilfach Rhodri) – dywedir bod Rhodri Fawr wedi ei gladdu yma. Gwynionydd, yr hanesydd, yn dweud fod ei garreg fedd wedi ei defnyddio i wneud pont yn Smocyn. Mae hen fap o 1798 yn dangos y gallai fod yna gromlech yn agos i'r benlon ucha. Mae yna lawer o enwau yn lleol yn awgrymu bod olion cyntefig yma.
Enghreifftiau o'r caeau: Parc Sarn, Cefen Brynar, Perthi Mân, Y Llain

Fferm Bwlchcrwys

Cae Whannen	y ffermwr pan yn blentyn yn gweld ci yn cwrso'i gynffon, a'i fam yn dweud ei fod wedi dal chwannen. Dyna ddechrau'r enw cae whannen.
Cae Cap	y tad wedi colli ei gap yn y cae yma

Mae pawb yn gyfarwydd â Gwersyll yr Urdd Llangrannog. Fe'i lleolir ar dir fferm ***Cefncwrt*** a dyma nodi pa ddefnydd a wneir o'r hen gaeau erbyn hyn:

Parc Tu ôl Tŷ	nawr gwelir pwll nofio, hen sgubor, llafnrolio, sied i gadw beiciau modur a chertiau. Hefyd yn stordy i'r Gwersyll. Traciau beiciau modur ynghanol y cae.

Parc Gwŷr Glog, Parc Dan Clos, Parc Pant Dwfn, Parc Ffynnon Frân – y 4 yma at ddefnydd cadw ceffylau

Parc y Pant — canolfan merlota, neuadd chwaraeon, cae pêl droed, cae pob tywydd a maes parcio.

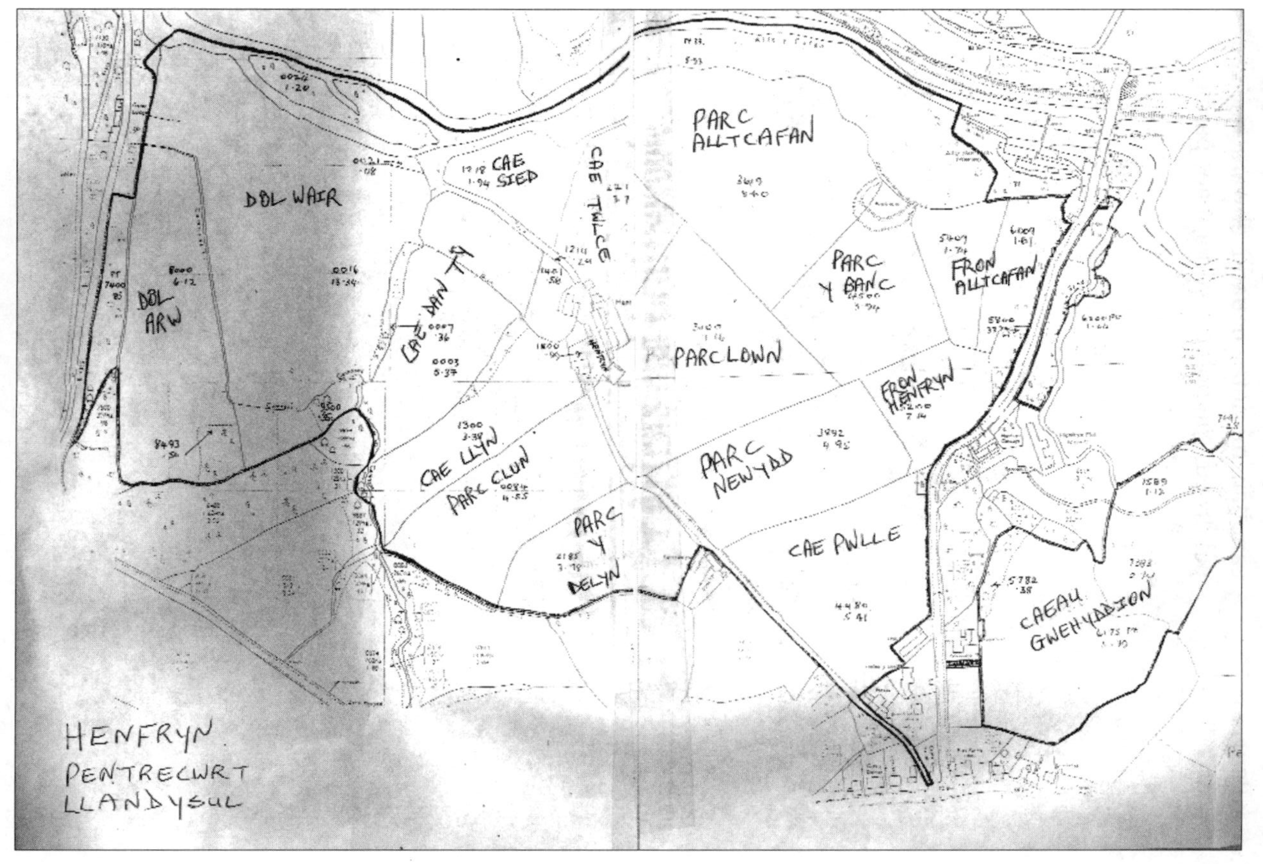

Caeau Henfryn, Pentrecwrt, Llandysul

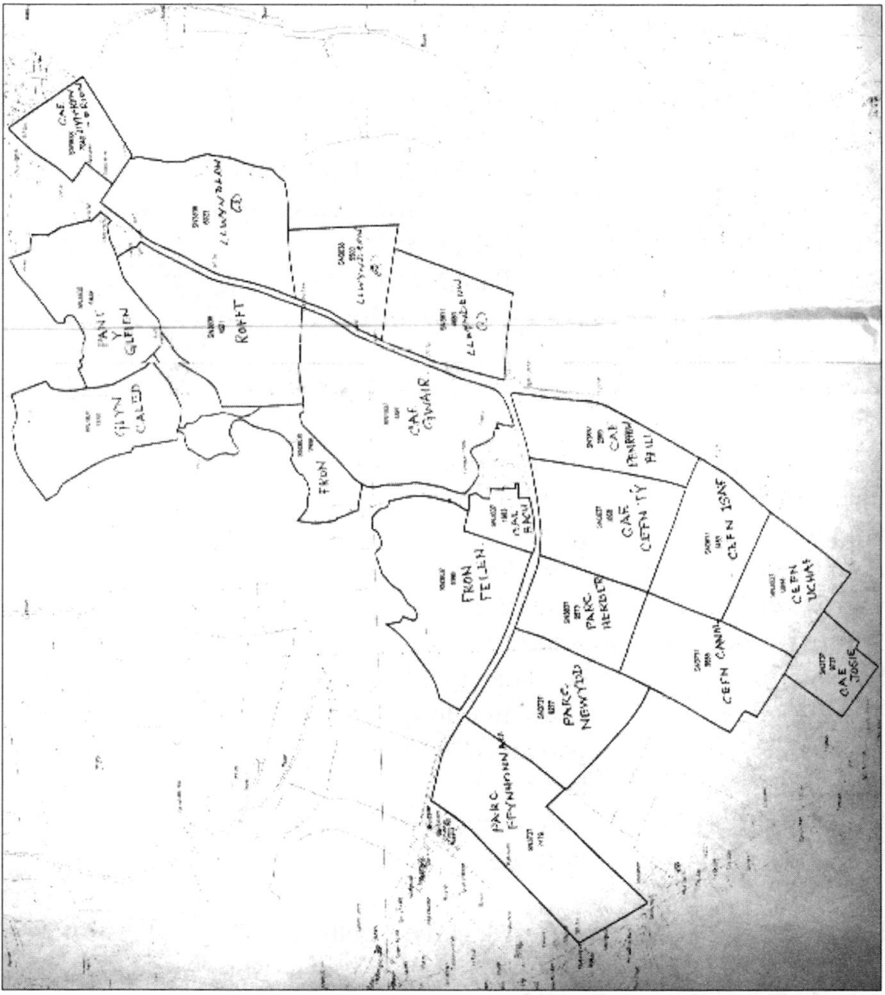

Caeau Hengae, Saron, Llandysul

RHANBARTH PENFRO

Yn sir Benfro gwelwn fod y gair 'cae' oedd yn cael ei ddefnyddio yn gyffredin yn y gogledd wedi newid i 'parc' a'r gair 'weirglodd' wedi mynd mewn rhai esiamplau yn 'wrglo'.

Yn ardal **Mynachlog-ddu** ceir enwau caeau fel:

Parc Newydd	Parc Dan Ffordd
Parc yr Ardd	Parc Mawr/Bach/Canol
Parc dan Rhewl	Parc tu hwnt Parc Capel
Parc Uwchlaw'r Rhewl	Parc Isha
Parc dan yr Ydlan	Parc Mowr
Parc Newy Mowr	Parc Buarth
Parc Pigfaen	
Wrglo'r Ŵyn	Wrglo Fach/Fawr

Mae llawer yn rhoi blas o dafodiaith sir Benfro:

Parc y Mein	maen, carreg
Parc Iet	giât
Parc Newy	newydd
Parc Newy Mowr	newydd mawr
Wein Frwynog	waun frwynog
Parc Sticle	sticil neu gamfa
Waun Cledde	Cleddau (afon)
Dan Perci	parcau
Parc Isha	isaf
Parc y Myni	parc y mynydd
Waun Dwarch	tywarch

Defnyddir geiriau llafar fel defed, ceffyle, gelly, cware.

Ceir rhai gyda esboniadau diddorol:

Parc Newydd	tri parc yn wreiddiol – Parc Newydd, Parc Eithin a Parc Ploughin a'r enw hwn yn dod oherwydd bod cystadleuaeth aredig wedi bod yno rhywbryd.

Parc Adlau	yr hen enw oedd Parc Rhosfach
Parc Llyn	cyn 1920 Parc Âr oedd ei enw ond aeth yn Parc Llyn oherwydd roeddent yn cronni dŵr mewn llyn bach er mwyn troi'r rhod ddŵr i shaffio'r eithin
Parc Injin	Parc Ydlan oedd hwn cyn 1920/30 ond newidiwyd yr enw oherwydd roeddent yn casglu cerrig o'r fferm yno, ac roedd injan yn dod i dorri'r cerrig yn fân er mwyn gwella cyflwr yr heolydd
Parc yr Allt	ger Carn Caermeini (Mynydd y Preseli)
Parc Clawdd Du	roedd yma dyddyn o'r enw Clawdd Du hyd at 1890 ond mae enwau'r perci wedi mynd ar goll
Hagard	'*hay guard*'
Perci Paul	roedd yn glochydd yn eglwys y plwyf
Perci Pant y Cadno	bu'n dyddyn tan 1880-90

Enwau caeau ***Blaendyffryn***, Mynachlog-ddu, sydd eto yn adlewyrchu tafodiaith y sir:

Parc Rodyn Bach/Mawr	Parc Ffwrn
Parc Oeitrich	Parc Gardd Fach Isa/Ucha
Parc Yet	Parc Ydlan
Parc Wrglo Gerrig	Parc Wrglo Wein
Parc Bach Penrhos	Parc Penrhos

Mae Pentre Galar yn ardal tu allan i **Crymych** ac mae'n enw digon trist i roi ar le, a dyna ei ystyr – lle tristwch a gofid, lle gwael. Ond fe gafwyd enwau caeau o'r ardal a rhai yn adlewyrchu ystyr enw'r lle:

Parc y Rhic	Parc yr Hilwm
Wrglo	Parc Carej
Parc y Post	Parc Nymbar six
Parc yr Adwy	Parc Garw
Parc Saunders	Parc Claw Tŷ
Parc y Buarth Isaf/Uchaf	Parc y Rhod
Parc yr Allt	Parc Nant Saeson

Weun Lloi
Parc Coch
Parc Ffwdan
Parc Stand Lath
Parc Tomos Sion
Parc Llain
Parc Claw Cam
Parc Gwastad
Parc Lan Isha
Parc Ropger
Parc y Delyn
Parc Robin
Parc y Glocsen
Parc Pys
Parc yr Odyn
Parc Newy

Rhai o enwau caeau ***Fferm Cwm Gloin***, Cwm Eog, Felindre Farchog:

Parc yr Hwch
Parc Mwntan
Parc y Person
Parc Pwrws
Parc y Drudarn
Parc Sticil
Parc Foel Drigarn
Parc Tafarn y Bwlch
Parc Calch
Parc Yet y Bannal

Fferm Nantwrach Bach

Parc Seison
Parc y Bugail
Parc Garn Gaseg
Parc Gwndwn
Parc Croes Mehangel
Parc Goediog
Parc Rhendre
Parc Garnalw

Fferm Graig, Glandŵr, Hebron

Parc y Rhod
Parc Coinant
Parc Penrin
Parc Adwy
Parc Danty
Parc yr Hilwm
Parc y Grug
Parc Coch

Fferm Trewilym

Gwndwn Gwyn
Post y Defaid
Rhofft Uchaf/Isaf
Ffynnon Lydan
Parc y Lloi
Parc Morus
Parc y Delyn
Parc Cornel

RHANBARTH CAERFYRDDIN

Cangen Bargoed Teifi

Gellir rhannu enwau'r caeau i bedwar categori

1. Perchnogaeth

Enw'r perchennog neu denant:

Cae Ifan
Cae Malach
Ffridd Burkley

Gwaith:

Cae Gof
Cae Sadler

Cartref:

Cae Hafod Ucha
Cae Tyddyn Charles

2. Lleoliad

Cyswllt gydag adeilad neu fan arbennig:

Cae Cefn Tŷ
Cae Tan Fynwent
Banc Top

3. Daearyddiaeth Leol

Rhai naturiol:

Cae Gors
Cae Ffynnon
Cae Cerrig

Llaw dyn:

Cae'r Odyn
Cae Sgubor
Dôl Sarn

Siâp y cae:

Cae Bach
Ffridd Fawr
Llain Hir
Cae Main

Lliw y pridd neu'r tyfiant:

Waun Felen
Cae Du
Tyle Brith

4. Amaethyddiaeth

Prif reswm bodolaeth cae yw er mwyn tyfu cnydau:

Cae Haidd
Bryn Gwenith
Cefn Gwair

Er mwyn magu anifeiliaid:

Cae Moch
Twyn Merlod

Rhai yn achosi problemau i'r ffermwyr:

Cae Garw
Cae Drain

Buont yn edrych ar enwau caeau ffermydd aelodau sef Rhydfoir Isaf, Rhydfoir Uchaf a Delfryn ym Mhenboyr; Ffynondudur yn Drefelin; Goitre Isaf yn Felindre ac Aberlleinau yn Waungilwen.

Dyma esboniad o flaeneiriau gydag enghreifftiau o enwau'r caeau:

Allt – llechwedd neu rhiw gyda choed arno

Gallt Bedw Bach
Allt y Gwenyn (Parc dan yr Allt)

Parc – gelwir cae yn parc mewn rhai ardaloedd

Parc Creigiau
Parc Llwyngwyn
Parc Cae Winch
Parc y Clun
Parc Les
Parc Maes y Groes
Parc yr Ardd
Parc Lan Cwm
Parc Cwarre
Parc Penlon
Parc Domen
Parc Fron Fach Slop
Parc Rhos Fach
Parc Bronhydden Fach

Gwern lle gwlyb lle y bydd coed gwern yn tyfu

Ffrwd	nant sy'n rhedeg yn gyflym
Ffrwd y Wern	
Waun	tir y rhos, sydd fel arfer yn wlyb a chorsiog
Waun Uchaf/Isaf	
Waun Cefen Mochyn	siâp esgyrnog iawn arni
Waun Cesig	arferid troi cesig yna ar ôl ebola – porfa blasus iawn yno

Eraill

Llain/Fach	darn hir a chul o dir fel arfer
Parc Domen	math o bentwr neu grugyn
Cnwc	darn mawr o graig yn gwthio allan o'r tir yn y cae
Parc y Clun	tir da, ffrwythlon sydd fel arfer yn borfa
Parc Pistyll	dŵr yn llifo o bibell

Cangen Glannau Pibwr

Caeau ***Danybanc***

Cae Ffald	cae bychan gyferbyn â'r tŷ gyda lle i ddal anifeiliaid
Waun	cae llaith yr ansawdd
Cae Cimp	bencyn iddo
Cae Glas Ucha	cae o ansawdd da
Llan Fain	cae hirfain
Waunbant	cae pellaf o'r fferm ac o ansawdd llaith
Cae Defaid	cae i gorlannu'r defaid
Croesbren	cae a sticl ynddo

Cangen y Tymbl a **Llannon**

Mae sawl awgrym ynghlwm wrth rai o'r enwau a dyma restru enghreifftiau ohonynt:

Natur a nodweddion y tir

Cae'r Eithin	Adladd (ail gnwd o wair)
Gwaun-rhyg	Yr Wrlodd (weirglodd)

Cae'r Bigwn
Wenlly Cae y Graig
Cae Bariwns
Erwsaimlyd
Cae Gwndwn Brynos
Cae Crwbyn
Cae Bach Cors Cyffyle
Gwynnydd Coch
Betting Bach (betin – tynnu tyweirch oddi ar dir i'w losgi fel gwrtaith)

Adar ac Anifeiliaid

Cae'r Dryw
Cae Patrish
Parc y Dwrgi

Crefftau/Gwaith

Gwaun y Felin
Gwaun y Bragdy
Cae y Pedlar
Gwaun Galch
Cae'r Efel
Cae y Mail
Cae Pwll y Glo
Cae Glyn y Seiri

Personau

Cae Betty
Gwaun ap Siencyn
Cae Powel
Gwaun Gwenllian
Coed Mary
Cae Benni
Gwaun David Morgan
Cae Rhys Llwyd
Gwaun Llywarch
Tir John Gwyn

Hen Olion/Adeiladau

Cae'r Plas Bach
Cae Maen Llwyd
Cae'r Lodge

Cangen Bro Cennech

Ceir hanes cyflawn y pentref a'i ffermydd yn llyfr Alwyn Charles, *History of Llangennech*. Mae llawer o'r ffermydd yn adfeilion erbyn hyn a rhai wedi goroesi gan brynu/etifeddu y lleill yn dilyn marwolaeth/briodas, ond mae eu henwau'n parhau ar y caeau.

Y perchnogion yn 17eg ganrif oedd y 'gwŷr mawr' – Vaughaniaid Gelli Aur, Vaughaniaid Llanelli a Lloydiaid Stad Alltycadno – i gyd yn ceisio gwthio Saesneg a'r diwylliant Seisnig ar 'y werin'.

Mae traddodiadau hefyd wedi gadael eu hôl ar enwau:

Cae Ffair	ffair a gynhaliwyd yn flynyddol ym mis Hydref
Lôn y Sipsiwn	

Mae llawer o hen ffermydd yn yr ardal a chyfeirir at arolwg dugaeth Lancaster ym 1609 yn sôn am y tiroedd fel tir coediog iawn wrth ymyl yr afon Llwchwr, a chludwyd coed oddi yno i adnewyddu cestyll Cydweli a Charreg Cennen. Mae'n debyg mai Llwynifan yw'r fferm hynaf yn Llangennech a lle yn 1657 y cynhaliwyd cyfarfodydd cyntaf Bedyddwyr y pentref.

Dyma rai enwau caeau:

Cae Ffynnon	pobl yr ardal wedi bod yn tynnu dŵr o'r ffynnon
Cae Camelog	tirwedd twlpog
Cae Tri Border	yn ffinio ar yr heol, yr ardd, y caeau
Waungron	siâp y cae ac mae'n wlyb
Waun Wen	blodau/llaith
Cae Fainc	carregog – wedi rhoi ei enw i'r rhiw > Tyle Cae Fainc
Cae Main	siâp
Cae John Philip	ar ôl cyn berchennog

Dyma engreifftiau o enwau caeau a gafwyd gan yr ardaloedd canlynol:

Llansteffan

Waun Dop	Cae Ffald
Parc y Dryssi	Saith Erw
Parc y Dobyn	Parc y Fflint
Cae Bach y Ffowls	Parc Coron
Waun Hesb	Lan Eithinog

Llanddarog

Cae Camp – hen wersyll carcharorion yr Ail Ryfel Byd

Cae Pys	Cae 'Fallen

Waun Sgrech	Cae Maes Ifan
Cae Haearn Smwddo	Cae Pwmp – agos i waith glo
Glyn Hebog	Cae Silo
Cae Mêl	Cae Ochr Draw Dŵr
Pal Bach/Mawr	Lladiard Naw Ceiniog
Waunffynnon Gydachog	Llainarw
Blaindir	Caegraban
Cae'r Bloce	Lladdiad Deunaw
Cwcwll Uchaf/Isaf	Llain Rodyn

Llanelli

Cae Blawd	Cae'r Waenydd
Cae'r Hendy	Cae Sticl
Pant y Meillion	Lletrog
Cae Dial	Cae Pwllsand
Cae Barcud	Cae Coedparc
Cae Ffog	Cae Bencwar

Cangen Gronw

Parc Gwartheg	Parc Gwar Coed
Parc Cwarre	Parc wrth ben Felin
Parc Man Gwyn	Parc y Pant

Pencader

Cae Bratt	Cae With
Cae Delyn	Cae Oddiar
Cae Odyn	Cae Gwastod
Cae Dommen	Rhos Wair

Ardal Cydweli

Derbyniwyd casgliad o enwau caeau'r ardal rhwng Tywi a Llwchwr a baratowyd ar gyfer Eisteddfod Genedlaethol Abergwaun 1986. Mae'n gasgliad swmpus, dros 100 o dudalennau yn dilyn trefn y wyddor a gallaf ond cynnwys blas ohono yma:

Cae Barriwns	math o glwyd a osodir ar draws adwy/ clwyd dros dro

Waun Gadog	roedd yna hen gapel wedi'i gysegru i Sant Cadog ar dir fferm Llangadog, ger Cydweli
Cae Cefn Dirlwyn	parc ymysg y deri
Gwaun yr Eos	sef yr aderyn
Cae Llygad y Ffwrn	ffwrn yn golygu odyn galch
Waun Gelech	yn cyfeirio at y planhigyn 'gellhesg' (*iris*)
Cae Han	mae 'hane' yn ddigon cyffredin fel elfen gyntaf. Han wair, han yr ysgall, cae han mawr. Y gair Saesneg '*hay(ne)*' sef perth neu gae.
Cae Llimrig	ansoddair 'llimrig' yn golygu garw – tir anodd ei drin
Cae Mantach	mantach – heb ddannedd – tir bylchog neu'n methu treulio'r gwrtaith a roid iddo
Waun y Noyadd	ffurf lafar ar 'neuadd'
Cae Pâl Harry	darn tir wedi'i amgáu gan ffens wedi'i wneud o balau neu bostion
Parc y Rewin	'rhewyn' yw ffôs neu nant
Cae Singrig	eisin+crug – sef y twmpath o eisin ger melin a adawyd ar ôl nithio'r eisin oddi wrth y grawn
Cae Triclis	yn cysylltu â'r enw lle Tre-Clais sef hen faenor (clas – *cloister*)
Gwaun Wgan	enw personol Cadwgan
Llain Pen yr Ystrad	'ystrad' yw llecyn gwastad, gwaelod dyffryn

Caeau Fferm Pantdwfn, San Clêr

Enw rhyfedd yw Pantdwfn ar y ffermdy hwn oherwydd nid mewn pant fel y tybier y saif, ond ar gnwc sy'n edrych i lawr ar yr ardal o'i amgylch.

Cwyd haul y bore ar ei furiau cadarn, gwresoga'r tes y prynhawn arno, ynghyd â'r gwynt a'r glaw. Gwelir machlud hwyrnos haf yn adlewyrchu'n fflamgoch ar ei ffenestri di-ri. Y ffenestri hyn sy'n llygadu lawr at Eglwys Santes Fair Fagdalen a rhan o hen bentref hanesyddol San Clêr. O'r fan yma hefyd gwelir yr afon Cynnin yn arllwys ei dyfroedd i ymuno â'r Taf, ac yna'n igamogamu'n hamddenol lawr y gwastadedd i ymuno â'r môr yn Nhalacharn.

Ganwyd Thomas Charles yn Longmoor ar 14 Hydref 1755. Saif olion y bwthyn yma dafliad carreg o fferm Pantdwfn a welir yn y coed o dan y ffermdy. Pan anwyd ei frawd, David Charles, yr emynydd yn 1762 roedd y teulu yn byw yn ffermdy Pantdwfn.

Un cangen sydd yn sir Frycheiniog a dyma rai o enwau caeau ar fynydd Epynt a dderbyniwyd oddi wrth **Gangen y Bannau**:

Aberyscir
Fan Frynych
Rhos Dringarth
Twyn y Dyfnant
Y Ddywallt
Twyn y Gaer
Craig Cerrig Gleisied
Twyn Cil Rhew
Fan y Bugeiliaid
Slwch

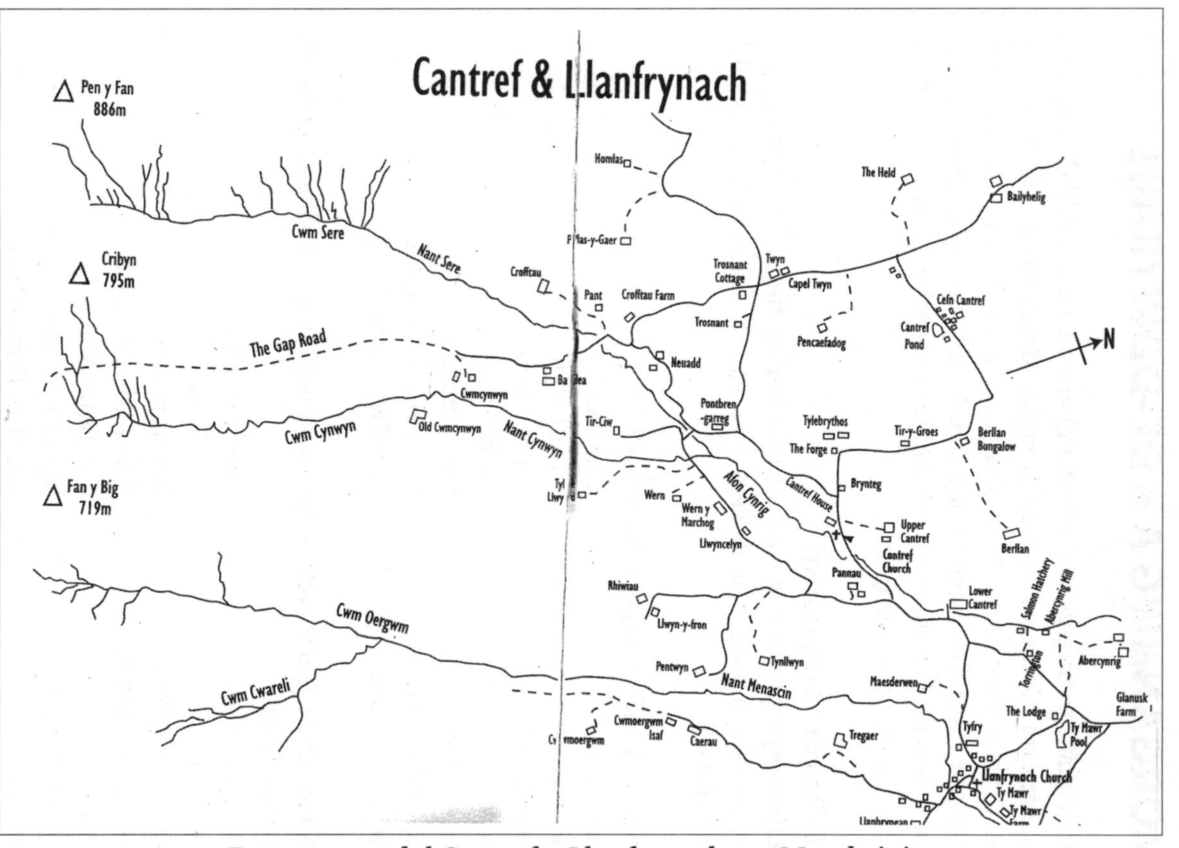

Enwau yn ardal Cantref a Llanfrynach ym Mrycheiniog

RHANBARTHAU GORLLEWIN MORGANNWG A'R DE-DDWYRAIN

Wrth ddarllen trwy gyfraniad y canghennau a anfonodd ddeunydd o Ranbarthau Gorllewin a De-ddwyrain Morgannwg nid yw enwau caeau yn amlwg iawn. Mae Morgannwg wrth gwrs yn ardal fwy poblog a mwy diwydiannol nag ardaloedd eraill o Gymru, ac felly efallai bod hyn yn rheswm. Rwyf felly wedi cyfuno cyfraniad y ddau ranbarth mewn un bennod.

Gorllewin Morgannwg

Derbyniwyd rhestr o enwau caeau o bedair fferm felly rwyf am eu cynnwys i gyd yma. Mae llawer o'r enwau yn adlewyrchu tafodiaith Cwm Tawe.

Fferm Penllwynteg, Cilybebyll

Coedcae Lloi
Cae Bach
Waun Dan Tŷ
Graig
Cae Newydd
Cae Saith Chwarter
Cae Gwyn Ucha
Cae Dan Tŷ
Cae'r Odyn
Crofft Fach
Craig Fach
Cae Scubor
Cae Pethau Gwynion
Cae Gwyn Isha

Fferm Cefn Celfi, Rhos (gweler englynion y beddau, *Llyfr Du Caerfyrddin*)

Tynycwm Isha
Cae Craig
Cae Mawr y Bryn
Cae Mawr y Bryn
Y Gors
Waun y Betting
Ynysbont
Cae Pen y Waun
Croffen y Clover
Coedcae Tanycwm
Cae Gwartheg
Cae Cefn
Waun yr Engine
Y Deuddeg Erw Ish
Cae Bona Main
Waun Frwynog
Crofften Bona Main
Cae Scubor
Coedcae
Cae Tri Chwarter

Ynysucha	Waun o Dan y Tŷ
Cae'r Heol	Cae Erw Fawr
Cae Ffynnon	Cae Llether

Fferm Alltwen Ishaf, Yr Alltwen

Dwmbal	Dwaden Fawr/ Canol
Wilod	Cae Pen Darren
Crofften y Defed	Ynys Fechan
Cae Glues	Wern
Gardd yr Yessy	Gwaun Roes
Cae Drejsi	Cae Porcyn

Fferm Alltwen Ganol, Yr Alltwen

Cae Graig	Cae Mawr
Gwaun Ffynn	Pump Chwarter Uchaf/ Isha
Cae Pin Wes	Cae Rose Leche
Cae Scubor	Cae Pant
Crofften	Gwaun Isha/ Uchaf

Y De-ddwyrain

Nodir gan **Gangen Tonysguboriau** fod yr ardal wedi newid llawer gyda dyfodiad diwydiant a masnach a ffyrdd newydd yn cael eu hadeiladu. Mae tir y ffermydd oedd o gwmpas y pentref wedi'u troi'n ystadau tai neu ystadau diwydiannol.

Ystrad Mynach a'r Cylch

Pentref bach gwledig oedd Ystrad Mynach tan yn gymharol ddiweddar yn ei hanes. Suddwyd pwll glo Penallta rhwng 1905 a 1910, a datblygodd y pentref yn gyflym yn naw degau cyntaf yr ugeinfed ganrif fel canlyniad i hynny. Cyn 1900, calon y pentref oedd y clwstwr tai o gwmpas hen fferm Ystrad Fawr, a ddaeth yn blas bach dan berchnogaeth teulu'r Thomasiaid. Dyma safle ysbyty newydd y cwm, Ysbyty Ystrad Fawr, ac felly diogelid un o hen enwau'r fro yno. Enwau Cymraeg sydd hefyd i'r gwahanol ardaloedd yn y pentref a'r cyffiniau, oherwydd iddynt gael eu henwi ar ôl y ffermydd oedd yno yn y dyddiau gynt, fel, Cefn Hengoed, Penallta, Penybryn a Tredomen.

Caeau Bedwellte, Cwm Syfiwg

Cae Dan y Glwyd
Cae Uchlawr Tŷ
Gwrlod Tŷ Coppyn
Cae Pontbren
Twyn y Gwynt
Cae'r Hendy
Ca'n Dan Tŷ
Cae Stabal
Cae Troed'r Rhiw
Cae Tŷ'r Dafaid

Dyma ddau enw sy'n adlewyrchu tafodiaith y Wenhwyseg:
Cae Bedw Isha (sh)
Cae Bedw Cenol (e yn lle a)

Cangen Cwm Rhymni

Cae Llawr
Waun
Cae Bedw Ucha/ Isha
Coed Cae
Cae Main
Cae Dan Tŷ
Wrlod Ucha/ Isha
Cae Cerrig
Cae Maen Isha
Cae Llwyn Helyg
Cae Trallwm
Peduran
Hanner Erw
Cefen
Cae Conan
Glandwr
Graig
Cae'r Heol Groes
Waun
Cae Cornel
Cae Brin Teg
Hestenionol
Craig Fawr
Cae Darron
Graig Pistill
Cae Penderyn
Waun Funon
Waun Goch
Cae Glan y Dŵr
Cae Haun Conin

TESTUNAU CREADIGOL

Gwaith ysgrifennu gan aelodau o Ferched y Wawr

FY HOFF LE

Pantycreuddyn

Dewch gyda mi i fy nghartref, Pantycreuddyn. Enw hynafol, ac fe'i hadeiladwyd rhwng 1894 a 1896 gyda 5895 OB (Oed y Byd) ar garreg y tŷ. Croeso i'r ystafell fyw, i weld yr olygfa drwy'r ffenestr o Bencoedfoel, sef caer Geltaidd hanesyddol, lle bu brwydr rhwng Tywysog Gwynedd a Thywysog y Deheubarth tua 1250 OC.

Ie, dyma fy hoff le, oherwydd rwyf yn edrych arno bob dydd, wrth agor y llenni, ac mae wedi bod yn rhan o'm mywyd ers 1976.

Dewch ar daith gerdded i fyny'r bryn i gael awel iach, ac i weld yr olygfa wych ac eang o'r ardaloedd cyfagos a thu hwnt. Rydyn am fynd trwy gaeau fferm Gellifaharen, sef caeau Pantycreuddyn, Gwastad, Cae Ganol a Chae Bencoedfoel – nad ydynt yn cael eu ffermio oherwydd yr hanes a'r uchder. Gwelir hen olion chwarel a rheilffordd sydd yn ein hatgoffa o'r prysurdeb a fu, yn cario cerrig i adeiladu tai, capel a ffermydd y gymdogaeth.

Cyrraedd y brig a'r man agored, a gweld Triggpoint. Edrychwn i lawr ar bentref Llandysul a'r afon Teifi yn ymlwybro trwy'r dyffryn. Mae tŵr yr Eglwys yn sefyll allan yn gadarn dros y pentref, fel ceidwad y goleudy. Yn yr Eglwys hon mae yna allor a ddarganfuwyd ar Bencoedfoel. Mae'r goler efydd a ddarganfuwyd yno hefyd yn Amgueddfa Bryste, ac mae'n bryd iddi ddychwelyd dros Bont Hafren yn ôl i'w chynefin. Gwelwn hefyd olion Castell Gwynionydd, 1164 OC, ar dir fferm Faerdre Fach a elwir heddi yn Gae Carreg.

Wrth edrych i lawr ar bentrefi Gorrig a Phentrellwyn, dacw ffermydd Waunlluest, Pantgwyn a Gellifaharen. Ar dir Gellifaharen, roedd Capel Annibynwyr, sef Capel Pantycreuddyn, yn sefyll am 80 o flynyddoedd. Nid oes olion i'w weld yno, ond mieri lle bu mawredd, ac mae hanes wedi nodi mai y Parchedig Christmas Evans oedd y gweinidog olaf i bregethu yn y Capel.

Edrychwn draw i gyfeiriad pentrefi Tregroes, Capel Dewi a Phrengwyn – enwau diddorol.

Ie, dyma'r man rwy'n anghofio problemau bywyd, yn hel meddyliau a chael ysbrydoliaeth i ysgrifennu. Edrychaf i lawr ar yr hen goed urddasol a gwelaf foncyff fel anghenfil a gwreiddyn fel bwystfil. Rwyf wedi bod yma ym mhob tywydd, gyda'r gwynt yn gwneud i mi deimlo fel canu; gyda theimlad o falchder a gwladgarwch am Gymru, ei hiaith a'i diwylliant. Dylai'r ddraig goch hedfan o'r copa. Caf deimlad ysbrydol yma hefyd, ac agosatrwydd at y Creawdwr, oherwydd natur a naws yr ucheldir a'r awyr agored. Mae yna gerrig mawr o amgylch, fel Cerrig yr Orsedd, ac mae fy nychymyg yn crwydro a dawnsio fel dawns y dail a'r blodau. Ie, dyma Fryn y Briallu i mi.

Daw atgofion annwyl yn ôl i mi am y plant, y gŵr a'r ci yn chwarae'n hwyliog ar Bencoedfoel. Teimlaf yma ryw hud a lledrith.

Mae'r tymhorau a'r tywydd yn newid yr olygfa a'r lliwiau yn ddyddiol, ac mae'r haul a'i gysgodion yn symud ar draws y caeau, y glaw yn gorfodi'r defaid i gysgodi gyda'r niwl yn cuddio'r gwyrddni.

Mae'r bryn fel petai'n fy ngalw yn ôl wrth i mi edrych arno o'r tŷ, ac ar ôl bod i ffwrdd oddi cartref, rwyf yn gwerthfawrogi'r olygfa yn fwyfwy, gan ddiolch yn dawel am fy hoff le.

Wenna Bevan-Jones
Cangen Llandysul

Gwâl y Filiast

’Sdim llawer wedi clywed am ‘Wâl y Filiast’, diolch byth. Ambell waith dw i’n meddwl taw fi yw’r unig un sy’n gwybod am y lle, nes mod i’n rhedeg fy mysedd ar hyd enwau’r cariadon sy wedi'u cerfio'n ddwfn yn rhisgl y coed tal o gwmpas y gromlech.

I gyrraedd yno, rhaid croesi dolydd hen adfail plasdy Dolwilym ar gyrion pentre bach Llanglydwen, a dilyn trac y Cardi Bach, sy'n cyd-redeg â'r afon Taf, nes dod at lwybr sy'n gwyro i fyny i'r goedwig. Wedi dringo am sbel, gan geisio osgoi'r drain, chi'n gwybod yn sydyn eich bod bron a chyrraedd. Mae'r naws yn newid, mae popeth yn dal ei anadl ac yna, fe'i gwelwch, ynghanol llannerch o goed ffawydd uchel, sy'n creu cylch perffaith o gwmpas yr hen, hen gerrig.

Mae'r wefr o'u gweld am y tro cyntaf yn cael ei hail adrodd bob tro yr af yno. Mwswm sydd dan draed, ac wrth iddo ddringo i fyny dros y cerrig mae wedi eu troi yn wyrdd. Ond mae'r faen sy'n gorwedd ar ben y dair sy’n cynnal ei phwysau yn dal yn llwyd, bron iawn yn arian yn y golau sy’n treiddio drwy ddail y ffawydd uchel.

Y peth greddfol i’w wneud ar ôl syllu mewn syndod, yw rhoi’ch dwylo arni, teimlo cadernid ac oerfel y canrifoedd yn treiddio i'ch cnawd. O dan y feddrod yma mae gweddillion rhyw arwr neu arwres ‘na wyr neb amdanynt nawr’, chwedl Waldo.

Ac yna rhyfeddu, rhyfeddu bod dynion wedi dyfeisio ffordd i greu'r gromlech pan nad oedd ganddynt ddim byd ond nerth dynol i'w helpu.

Alla'i ddim meddwl am le hyfrytach i orffwys ar ol 'holl helbulon oes'. Mae'r heddwch o'ch cwmpas yn rhywbeth allwch bron â'i gyffwrdd. Yr unig sŵn yw bwrlwm yr afon Taf ymhell islaw a chân ambell i aderyn yn y goedwig. Ni chlywir grwnian y ‘Cardi Bach’ drwy'r dyffryn mwyach, diolch i fwyell Beeching.

Fan hyn fyddai'n dod jest i fodoli, i freuddwydio, ac i weld popeth yng nghyswllt amser. Bob hyn a hyn mi fyddai’n fodlon rhannu'r lle gydag eneidiau hoff cytûn, ond ddim yn aml.

Ond eleni, dw'i wedi darganfod y llinyn arian, y llinyn arian sy'n fy nhynnu yno o hyd ac o hyd. Pan ges i fy ngeni, roedd gen i ddau ddatcu – tadcu Cwerchyr a tadcu bach Tresaith. Gelwid ef yn datcu ‘bach' Tresaith oherwydd ei fod yn dost – roedd e'n diodde' o'r ddarfodedigaeth, a phan o'n i'n dair mlwydd oed, bu farw.

Wyddwn i fawr ddim am ei deulu, dim ond ei fod yn unig blentyn a taw Elizabeth oedd enw ei fam, oherwydd mae e wedi ei gladdu yn yr un bedd â hi ym mynwent Aberporth. Pam na fuaswn i wedi holi mwy o ’Nhad cyn iddo farw, dwedwch? Yr unig beth arall a wyddwn i sicrwydd oedd ei fod yn hannu o ardal Hendy-gwyn ar Daf.

Trwy wyrth 'Ancestry.com', dw'i wedi dod o hyd iddo, nid yn Hendy-gwyn o gwbwl, ond mewn tyddyn bach o'r enw 'Cefen' led cae o'r goedwig yn Llanglydwen lle mae Gwâl y Filiast. Yno cafodd ei fagu gan ei fam Elizabeth Williams a'i famgu Phoebe. 'Sdim sôn am ei dad – plentyn clawdd a pherth oedd tadcu, mae’n debyg.

Nawr dw i'n gallu ei weld, yn fachgen bach gwallt cyrliog, yn chwarae cwato o gwmpas y gromlech, yn gwmws fel mae ein hwyrion yn wneud nawr, neu'n pysgota yn nŵr gloyw'r afon Taf ac yn chwifio'i law ar y Cardi Bach wrth iddo bwffian ei ffordd i Aberteifi bell.

Pan ddaw'r gwanwyn, a phersawr y clychau glas fel cyffur o gwmpas y gromlech, yno fydda innau, yn rhedeg fy mysedd ar hyd y llythrennau a gerfiwyd yn rhisgl y coed gan y cariadon ’slawer dydd, yn gobeithio darganfod E. W. a phwy?

Margarette Hughes
Cangen Hendy-gwyn ar Daf

Plas-yn-ddôl

O ben Caer Drewyn gellir gweld Plas yn ddôl yn glir ym mhen draw cwmwd a fu unwaith yn llawr llyn. Y Ddôl oedd enw'r lle yn yr Oesoedd Canol ac mae rhyw sôn mai dyma oedd cartref Dyddgu, y ferch arall ym mywyd Dafydd ap Gwilym. Bu'n stad ynddi ei hun ar un adeg cyn ei llyncu'n rhan o stad Rûg yn y bedwaredd ganrif ar bymtheg. Ond wyddwn i ddim am y pethau hyn wrth imi gael fy magu yno, flynyddoedd maith yn ôl bellach.

Caeau gwastad ffrwythlon oedd o gwmpas y tŷ yn ymestyn o dro yn yr Alwen lle'r cyrhaeddai'n agos at yr A5 hyd at Ben y Weirglodd a Chapel Tre'r ddôl. Ar y caeau hyn o gwmpas y tŷ y gosodwn holl storiau'r Beibl, dameg yr heuwr, galw'r disgyblion. Ond tu allan i'r capel roedd y Croeshoelio am fod yno bolion telegraff digon tebyg i groesau. Yno hefyd y digwyddodd yr Atgyfodiad gan mai dyna'r lle tebycaf i ardd a welais yn fy nyddiau cynnar gan fod coed rhododendron yn amgylchynu tir y capel. O gwmpas y caeau gwastad roedd y bedrenni, tair ohonynt, yn codi gan greu cysgod i'r caeau oddi tanynt.

Roedd Plas-yn-ddôl yn glamp o dŷ; yn ddau dŷ mewn gwirionedd. Tŷ deulawr oedd y cefn gyda'r gegin, y parlwr bach, yr ystafell dywyll, y *dairy*, a llofft i'r gweision uwchben y gegin a llofft wag i gadw tatws uwchben y *dairy*. Ynghlwm wrtho roedd tŷ arall dri llawr llawer mwy urddasol gyda dau dalcen di-ffenest. Uwchben y drws ffrynt gyda bwa o gerrig nadd yn ei addurno y mae carreg galchfaen ac arni'r dyddiad '1789 Duw a digon'.

Er bod y lle bellach yn wag ers deugain mlynedd, mae'r tŷ trillawr yn sefyll yn gadarn oherwydd ei adeiladwaith gywrain. Dyna barodd inni ystyried mai hwn oedd yr hen dŷ, y rhan o'r tŷ a deilyngai ei alw'n blas. Dyma'r tŷ sy'n dal ar ei draed ond dymchwelwyd y tŷ deulawr yn y cefn. Erbyn hyn gwyddom mai'r cefn, fel y galwem ni ef, oedd yr hen blas a ddyddiai'n ôl i'r Oesoedd Canol.

Ond ar lan yr afon yng Nghae Berllan led cae o'r tŷ roedd yr adeilad yn wreiddiol. Wrth i 'Nhad droi Cae Berllan yn y gwanwyn deuai cerrig nadd yr hen blas i'r wyneb yn gyson. Ar lan yr afon roedd llecyn llawn blodau eira a chennin Pedr. Dyna oedd ein hatyniad ni yn y gwanwyn gan ddengid ar draws Cae Berllan i weld a oedd y wyrth flynyddol wedi digwydd. Dihangodd fy chwaer fach unwaith cyn ei bod yn bedair oed a Mam am yn hir yn methu â'i gweld hi yn ei chwrcwd yn ei chot fach werdd ynghanol y blodau.

Fe'n dysgwyd i fod ag ofn yr afon. Nid Alwen hoff oedd hi yn ein tŷ ni, wel, nid i'n rhieni, beth bynnag. Ond dyna oedd ein nefoedd ni ac aem ati i chwilio am lond jar o bysgod ariannaid neu i chwarae ar ein hynysoedd. Fy chwaer hynaf oedd â'r ynys fwyaf a'r bellaf o'r lan, fy chwaer leiaf oedd â'r ynys leiaf ger y lan a minnau â rhyw ynys yn y canol rhwng y ddwy. Aem ati i addurno'n hynysoedd â gwahanol flodau a dyfai ar hyd ei glannau, rhai ohonynt yn rhai na welais yn unman arall wedi imi adael Plas-yn-ddôl.

Am lan yr afon y dyhewn wrth ddeffro'n sydyn ganol nos yn y blynyddoedd cynnar wedi i ni fel teulu adael y lle. Hiraethwn am gael gorwedd ar wastad fy nghefn ar y boncen a theimlo nghroen ar groen y ddaear. Gwyddwn yn nwfn fy mod na fyddai'r un ddaear arall yn teimlo mor agos â hon.

Megan Tomos
Cangen Caernarfon

Taith

Doedd ’run o’r ddau wedi cynllunio’r siwrna, dim paratoi na phacio. ’Run o’r ddau wedi prynu tocynnau. Dim ond wedi gosod cadeiriau yn rhes yn y gegin a llusgo criw o deithwyr yn barod i gychwyn.

“Reit dan ni’n barod,” meddai’r ddau. “Pawb ar y trên.”

Felly dyma roi’r tedi mawr ar un gadair. Dwy gath ar un arall a chwningen binc efo sêt iddi ei hun.

“Nain tisho dŵad?” medda Lili.

“Lle dach chi’n mynd?” gofynnais inna.

Meddyliodd y ddau am funud ...

“Llanberis,” medda hi.

“Iawn ta – mi ddof i, oes ’na sêt i mi?”

“Gei di ista efo bwni binc.”

“Pwy sy’n dreifio?” gofynnais.

“Fi a Iori.” meddai’r flondan.

Y ddau wedi arfer gwneud popeth efo’i gilydd – rhannu ers y dechrau un.

Cychwyn y daith o fewn munud i’w gilydd.

“Pawb yn barod? Ffwrdd â ni.”

A dyma gychwyn. Syth ymlaen. Rownd y tro. Codi llaw ar hwn a’r llall.

Rownd tro arall. A dyma frecio sydyn, arafu a dod i stop.

Amser panad ar y dreifars. Potal o ddiod a bisged bob un.

Wel, waeth i minnau gael panad hefyd. Neidiais oddi ar y trên a berwi'r tegell cyn dychwelyd i'm sedd gyda phaned o goffi a mwynhau'r sefyllfa.

Sŵn cnoi bisgedi, peiriant yr oergell yn rhuo ac aderyn bach yn canu tu allan i'r ffenest.

"Pawb yn barod i gychwyn eto?" gofynnodd Lili, gan droi rownd.

"Barod!" medda finna gan afael yn dynn yn fy mhaned. "Lle dan ni'n mynd rŵan?

"Llandudno," oedd yr ateb, a ffwrdd â ni eto cyn i'r chwarae ddod i ben yn sydyn. Hitha mynd 'nôl at y bwrdd i liwio ac ynta at y bocs Lego.

Gadewais y trên heb ei symud rhag ofn i ni gael taith i rywle arall cyn diwedd y dydd.

Iona Evans
Cangen Pandy Tudur

Nain Trefriw

Ydi adeilad a pherson yn medru uno a thyfu fel un? Ydi un yn medru bodoli heb y llall? Er mai Taid oedd y Prifathro, Nain oedd Tŷ'r Ysgol i mi.

Ble mae Tŷ'r Ysgol Trefriw yn darfod a Nain yn dechrau – dwi ddim yn gwybod. O'r breichiau agored a'r sws-glec yn y drws ffrynt, i'r arogleuon cinio-dydd-Sul yn y gegin gefn hances boced, lle roedd gwyrthiau'n cael eu creu. Ei chwerthin a'i chroeso hi oedd wrth y tân yn y parlwr ffrynt yn shyfflo'r cardiau'n gelfydd, a rhannu Everton Mints. Ei llais alto melfedaidd hi oedd mewn harmoni â'r eifori yn y 'stafell biano. Yn y llofftydd, jwg o flodau lelog del ar silff ffenest fach ac ogla lafant o'r bathrwm a boddi 'mhen yn ei phersawr Youth Dew yn ei wardrob llawn.

Heddiw does dim grêfi na chanu emynau, dim high-heels a handbags, dim hanes teulu Tŷ'r Ysgol yn cynhesu'r waliau. Ond mae'r chwerthin yn parhau. Chwerthin a chlebran plantos bach o'r stafelloedd sy' bellach yn ddosbarthiadau. Eu creu meithrin-liwgar yn cynhesu'r waliau ac yn creu yr hanes newydd. Byddai Nain yn hapus efo hyn.

Ceri Wyn Davies
Cangen Llanrwst

FY HOFF LE

Tlws Llenor Merched y Wawr 2011 (1af)

Petaech chi wedi gofyn i fi ar hyd y blynyddoedd beth oedd fy hoff le, byddwn wedi sôn am bentref bychan Porth Sidan ar arfordir de Cymru heb fod ymhell o Lanelli.

Yno treuliais rai o adegau hapusaf fy mhlentyndod, ar wyliau gyda Mam-gu tra roedd Mam a Dad wrth eu gwaith. Cefais fwynhau plentyndod delfrydol, a doeddwn i ddim yn unig, oherwydd roeddwn i a'r plant drws nesaf, Meic a Josie, yn ffrindiau mawr, a byddem yn chwarae am oriau ar y traeth ac yn y twyni tywod. Yn llygad fy nghof, roedd hi'n heulog bob amser – rhyfedd nad ydw i byth yn ei chofio hi'n glawio. Weithiau byddai Mam-gu'n mynd â ni i hel cocos pan fyddai'r môr ar drai, a dyna fyddai brecwast blasus y bore wedyn! Uchafbwynt yr wythnos fyddai ymweliad â'r farchnad yn Llanelli ar fore Iau i brynu bara lawr a chig moch o'r stondinau sawrus. Weithiau cawn ymweld â'r stondin deganau a dewis un o'r rhyfeddodau rhad oddi arni.

Wrth i fi a Meic a Josie ddringo'r llwybrau i'r bryn creigiog y tu ôl i'r pentref i hel mwyar duon, byddem yn cerdded heibio i Dŷ Tringad, hen blasty â ffenestri bwa hirion a edrychai dros olygfeydd gwych y bae. Roedd rhywbeth ynghylch Tŷ Tringad oedd yn fy swyno'n llwyr. Bob amser yr awn ni heibio, byddwn i'n oedi i syllu arno ac yn dweud wrth Josie, 'Pan fydda i wedi tyfu, dw i'n mynd i fyw yn y tŷ yna.'

Aeth deugain mlynedd heibio heb i mi ymweld â Phorth Sidan, er ei fod yn euraid yn fy nghof. Yna'n sydyn, newidiodd popeth. Roeddwn i a Gruff, y gŵr, wedi sefydlu cwmni adeiladu a ddaeth dros y blynyddoedd yn llwyddiannus iawn, mor llwyddiannus nes i ni un diwrnod dderbyn cynnig ardderchog amdano gan gwmni rhyngwladol. Er mawr syndod i mi, meddai Gruff, 'Dw i'n meddwl y dylen ni werthu. Rydyn ni'n dau wedi gweithio'n galed. Mae'n hen bryd i ni ymlacio a mwynhau.' Prin allwn i gredu. Gwaith Gruff oedd ei fywyd. Ychwanegodd, 'Ond byddwn i eisiau symud o'r ardal. Fyddwn i ddim eisiau byw fan hyn a gweld rhywun arall yn rhedeg fy musnes i.'

'Lle awn ni?' meddwn i mewn syndod.

'Gei di ddewis,' atebodd Gruff. 'Rhywle wrth ymyl y môr, lle galla i gael ci a mynd ag e am dro. Rhywle y gall Huw ddod i dreulio gwyliau gyda ni.' Huw oedd ein hŵyr, a anwyd dair blynedd yn ôl i'n merch Alys a'i phartner Guy.

Ar unwaith, meddyliais am Borth Sidan, fy ngwerddon. Dyma fi'n mynd at y cyfrifiadur a gwglo 'Tai ar werth – Porth Sidan'. Tri thŷ oedd ffrwyth fy ymchwil. Byngalo bychan iawn ag un stafell wely oedd y cynta.

'Dw i ddim yn mynd i fyw mewn bocs,' meddai Gruff.

Hen ffermdy oedd yr ail – a dweud y gwir roedd bron yn adfail. Cymerodd Gruff gryn ddiddordeb yn hwn.

'Gallen ni adeiladu estyniad, ac mae angen to newydd wrth gwrs. Byddai hwn yn brosiect da i fi . . . '

'Dim o gwbl,' atebais. 'Os ymddeol, ymddeol yn go iawn.'

Cliciais ar y trydydd llun a phrin allwn i gredu fy llygaid. Roedd Tŷ Tringad ar werth! Doedd e ddim wedi newid llawer. Roedd hi'n amlwg fod y perchnogion wedi gofalu amdano'n dda.

Ers blynyddoedd clywsai Gruff ganu clodydd Tŷ Tringad ond doedd e erioed wedi gweld y lle. Edrychodd â diddordeb ar y llun a'r disgrifiad.

'Hm,' meddai, 'mae hwn yn edrych yn addawol.' Estynnodd ei ffôn symudol o'i boced a ffonio'r asiant yn y fan a'r lle. Erbyn diwedd yr alwad, roedd Gruff, y dyn busnes craff, wedi gwneud cynnig am y tŷ – cynnig rhyfeddol o isel, yn ein tyb ni, ond mewn pedair awr ar hugain, fe'i derbyniwyd! Ac ar ben hynny, ymhen dau ddiwrnod o'i osod ar y farchnad, gwerthwyd ein tŷ ni hefyd.

Carlamodd y trefniadau yn eu blaen. Roedd fy nheimladau'n hollol gymysglyd. Edrychwn ymlaen yn eiddgar at wireddu breuddwyd oes, ond ar yr un pryd teimlwn yn annifyr fod pethau'n symud yn rhy gyflym. Oherwydd bod cymaint o waith i'w wneud yn gysylltiedig â gwerthu'r cwmni chawson ni ddim amser i ymweld â Thŷ Tringad. Weithiau roeddwn i'n amau ein bod yn sgrialu'n wyllt i ddyfodol dieithr, annelwig.

Doedd gan Gruff ddim amheuon. 'Bydd popeth yn iawn, gei di weld. A dw i'n edrych ymlaen at gael Alys a Huw i aros gyda ni ar wyliau.' Roedd Gruff yn dotio at ei ŵyr. Sylwais na wnaeth sôn am Guy. Gwyddwn nad oedd e'n meddwl llawer o bartner Alys – ddim mwy nag oeddwn i, a dweud y gwir.

Ar brynhawn braf ar ddechrau Mai, roedden ni'n dilyn y lorri oedd yn cario'n dodrefn ni i fyny'r rhiw tuag at Dŷ Tringad. Pan ddaeth y tŷ i'r golwg, teimlais fy nghalon yn curo'n gyflym ac fe brofais yr un wefr ag y cawn yn ferch fach bron hanner canrif yn ôl! Er hynny edrychais yn ofidus ar wyneb Gruff. Beth pe bai e ddim yn hoffi'r lle wedi'r cyfan? Ond roedd golwg digon bodlon ar ei wyneb a gwenodd wrth weld fy mhryder.

'Dere,' meddai, 'dyma ddechrau ein hymddeoliad, rhan nesaf ein bywyd.'

Roedd y dynion eisoes yn paratoi i ddadlwytho, a brysiais i ddatgloi'r drws â'r allwedd a gawsom gan yr asiant. Wrth fynd o stafell i stafell, teimlwn fod popeth ynghylch y lle'n chwaethus a hardd. Roedd Tŷ Tringad yn well hyd yn oed nag y breuddwydiwn y byddai. Ac roedd un stafell wedi ei pheintio'n las â border ar ganol o wal o drenau ac awyrennau lliwgar yn ymlid ei gilydd mewn cylch diderfyn – delfrydol ar gyfer Huw!

Allwn i ddim credu mor rhwydd y gwnaethon ni ymgartrefu yno. Roedd fel petai'r tŷ'n lapio'i hun amdanom fel cwrlid. Ac yntau mor gyfarwydd â bod yn bennaeth cwmni ac wynebu heriau newydd bob dydd, roeddwn wedi ofni y byddai Gruff yn ei chael hi'n anodd ymlacio, ond doedd dim rhaid i mi boeni. Âi am dro bob bore i lawr i'r pentref i brynu papur, ac weithiau gyda'r nos am beint i'r dafarn leol. Aeth pythefnos heibio a dechreuodd ddod i adnabod pobl y pentref. Awgrymodd rhywun ei fod yn ymuno â'r clwb golff ond doedd Gruff ddim eisiau. Yr hyn roedd e'n wir eisiau'i wneud oedd prynu ci.

Roedd fy mryd i ar gael y tŷ'n barod am ymweliad Alys a Huw oherwydd roedden nhw am ddod i dreulio wythnos gyda ni. 'Ydy Guy'n dod?' gofynnais.

'Na, Mam, ddim y tro yma,' atebodd Alys yn gyflym – yn rhy gyflym, 'mae e'n brysur iawn ar hyn o bryd.'

Tyfodd pigyn o ofid yn fy meddwl. A oedd popeth yn iawn? Penderfynais gael sgwrs ag Alys yn ystod yr wythnos.

Daeth y diwrnod pan roedden nhw'n cyrraedd, ac roedden ni'n

dau'n edrych ymlaen yn arw. Ond o'r bore cyntaf dechreuodd pethau rhyfedd ddigwydd. Roeddwn i'n cribo fy ngwallt o flaen y drych yn fy stafell wely pan deimlais don lethol o siom a thristwch yn sgubo drosof yn sydyn. Golchodd yn benllanw o'm pen i'm traed a'm gadael yn llipa a diymadferth. Syllais arnaf fy hun yn y drych. Roeddwn i'n welw ac yn crynu. Beth yn y byd oedd o'i le arna i?

Chefais i ddim amser i feddwl, oherwydd yr eiliad honno galwodd Gruff arna i ac es i lawr y grisiau. Roedd Gruff yn sefyll wrth y drws ffrynt ac o'i flaen ar stepen y drws eisteddai ci'n syllu'n ddwys arno. Ci defaid ydoedd, a golwg ddigon tenau arno.

'Dw i'n siŵr i mi weld hwn ym mhen pella'r ardd neithiwr. Wyt ti'n meddwl ei fod e ar goll neu rywbeth?'

Plygodd Gruff i lawr i roi mwythau iddo. 'Does dim coler ganddo,' ychwanegodd. 'Dyma'r union fath o gi fyddwn i'n hoffi ei gael.' Estynnodd y ci ei drwyn yn gyfeillgar i gyffwrdd â llaw Gruff.

Plygais i hefyd a throdd y ci tuag ata i'n gyflym gan ysgyrnygu ei ddannedd. Tynnais yn ôl ar unwaith. Ond nid ei ddannedd oedd wedi fy nychryn. Yr hyn a'm syfrdanodd i oedd yr olwg o gasineb pur yn ei lygaid!

Doedd Gruff ddim wedi sylwi ac roedd yn dal i roi mwythau i'r ci. 'Dere, was,' meddai, 'rwyt ti'n edrych yn denau. Beth am damaid o fwyd?' Trodd ataf fi. 'Beth alla i roi iddo?'

'Mae dwy sosej yn y ffrij ers neithiwr,' atebais yn fyr. 'Dw i'n mynd allan i siopa.'

'Iawn,' atebodd Gruff. Roedd ei sylw'n dal ar y ci. 'Dere â thun neu ddau o fwyd ci.'

Gyrrais i'r archfarchnad. Gwnes fy ngorau i gofio hoff fwydydd Huw a phrynais botel o win gwyn hefyd. Byddai'n dda i Alys ymlacio â glasied o win. Cofiais am y bwyd ci. Ar fy ffordd adre, dyma fi'n penderfynu gyrru heibio i hen dŷ Mam-gu. Doeddwn i ddim wedi cael cyfle cyn hyn i fynd yno, ac roedd y tai yn y stryd yn edrych yn llai nag y cofiwn rywsut. Edrychais ar dŷ Mam-gu, a'r lawnt fach sgwâr ddestlus oedd ganddi hi bellach yn ddarn o goncrit hyll ac arno ddau feic modur. Drws nesaf roedd y tŷ lle roedd Meic a Josie'n arfer byw. Ar fympwy penderfynais fynd i'r drws i holi a wyddai'r perchennog presennol rywbeth o'u hanes. Cenais y gloch. Doedd dim ateb am sbel ond pan oeddwn i ar fin troi ymaith agorodd y drws. Yno o'm blaen safai Josie! Fe wnaethon ni adnabod ein gilydd ar unwaith a bu dagrau a chofleidio a chusanu. Mynnodd Josie mod i'n mynd i mewn am baned a sgwrs.

Dywedodd ei bod hi bellach yn weddw, a dau fab ganddi yn Awstralia. Holais am Meic. 'Mae'n byw yn yr Alban,' meddai Josie, 'yn gwneud ei fywoliaeth yn dysgu pobl i chwarae golff.'

Roedd hi eisiau clywed fy hanes i. Soniais am Gruff ac Alys a Huw. Yna dywedais. 'Wyt ti'n cofio fel roeddwn i bob amser yn dweud y byddwn i'n byw yn Nhŷ Tringad ryw ddydd? Wel, dw i newydd symud i mewn.'

Daeth cysgod dros wyneb Josie. Gwnaeth ei gorau i'w guddio ond roeddwn i wedi sylwi. Dros ail baned o goffi dyma fi'n gofyn, 'Wyt ti'n gwybod beth fu hanes Tŷ Tringad dros y blynyddoedd?'

Doedd Josie ddim eisiau dweud, ond o'r diwedd cefais yr hanes allan ohoni.

Roedd pâr ifanc, Meinir a Rhys, wedi etifeddu'r lle oddi wrth fodryb Meinir. Dyma nhw'n ymgartrefu yno ac roedden nhw wrth eu bodd. Ymhen tipyn, ganwyd eu mab, Dylan. Pan oedd Dylan yn dair oed, roedd ef a'i dad yn chwarae yn yr ardd gyda'r ci un diwrnod. Trodd Rhys ei gefn am eiliad, a syrthiodd Dylan i'w bwll nofio bach a boddi. Ar y pryd roedd Meinir yn disgwyl ail blentyn, ac o ganlyniad i'r ddamwain fe'i collodd. Roedd Rhys yn beio'i hun yn ofnadwy, a rhai wythnosau'n ddiweddarach, aeth i lawr i'r môr ac ni welwyd mohono byth wedyn.

'Ble mae Meinir nawr?' gofynnais i Josie, ond doedd hi ddim yn gwybod. Fu Meinir ddim ar gyfyl Porth Sidan ers y digwyddiadau erchyll.

Roedd fy meddwl yn chwyrlio. Allwn i ddim credu. Meddyliais am ein cynnig isel rhyfeddol am y tŷ'n cael ei dderbyn . . . Meddyliais am y don o dristwch a ddaeth drosof y bore hwnnw . . . Roeddwn i ar dân eisiau mynd adre i ddweud wrth Gruff. Diolchais yn gyflym i Josie ac addo ymweld â hi eto; gallwn weld ei bod hi'n teimlo'n anghyffyrddus. Gyrrais yn syth adre. Roeddwn i'n siŵr y byddai Gruff yn dweud, 'Paid â bod yn wirion. Stori drist wrth gwrs, ond dyw hi ddim byd i wneud â ni.'

Doedd dim golwg o Gruff pan gyrhaeddais. Chwiliais yn y gegin a'r stafell fyw ac yna i fyny'r grisiau. Wrth edrych allan trwy ffenest y stafell wely, gallwn weld golygfeydd gwych yn ymestyn ymhell dros y bae, ond yn sydyn, hoeliwyd fy llygaid ar bentwr o dan un o'r coed ym mhen pella'r add. O na! Dyma fi'n rhuthro allan. Roedd Gruff yn gorwedd ar ei hyd a'i lygaid ar gau. Pan glywodd fi'n nesáu agorodd ei lygaid ac meddai, gan geisio gwenu, 'Syrthio wnes i. Baglu dros y ci yna. Dw i'n meddwl mod i wedi brifo fy nghoes.' Roedd e'n llwyd ofnadwy, a gwyddwn fod yn rhaid i mi wneud rhywbeth yn gyflym. Dyma ddeialu am ambiwlans ac ymhen dim fe'n cludwyd ni'n dau i'r ysbyty yn Llanelli.

'Gwell i chi aros yma sbel,' meddai'r meddyg bach ifanc wrth Gruff, 'i mi gael golwg iawn arnoch chi.' Edrychodd arnaf fi. Rhaid mod i'n edrych yn welw, oherwydd meddai'n garedig. 'Ewch chi i gael paned.'

Dangosodd lle roedd y caffi, ac wrth i mi eistedd mewn cornel yn yfed paned o de poeth, roedd fy meddwl yn chwyrlïo. Meddyliais am Meinir a Rhys a'u mab, meddyliais am Gruff . . . Crynais.

Yn sydyn canodd fy ffôn symudol, gan ddangos fod neges decst wedi dod. 'Wedi cyrraedd. Lle wyt ti? Alys.'

Roeddwn i wedi anghofio popeth am Alys a Huw. Ffoniais ar unwaith, gan geisio swnio'n sionc.

'Haia Alys, sut wyt ti? Mae dy dad wedi cael damwain fach a dw i wedi dod ag e i'r ysbyty. Fe fydda i'n ôl gyda hyn. Paid â phoeni, bydd dy dad yn iawn. Ydy popeth yn iawn gyda ti?'

'O Mam.' Swniai Alys yn ddagreuol. 'Mae Guy wedi mynd. Mae e wedi cyfarfod â rhywun arall.'

Roeddwn i wedi synhwyro fod rhywbeth o'i le, ond ar yr un pryd suddodd fy nghalon. 'Fe fydda i yna toc,' meddwn i eto. Yna ceisiais feddwl am rywbeth llon i'w ddweud. 'Sut mae Huw?'

'Mae e'n chwarae gyda'r ci yn yr ardd,' atebodd Alys. 'Doeddwn i ddim yn gwbod eich bod chi wedi cael ci.'

A dyna pryd y teimlais i unwaith eto don o emosiwn llethol yn golchi drosof fi. Nid tristwch y tro yma, ond arswyd pur – arswyd am Huw, oedd yn dair oed, fel Dylan, ac yn Nhŷ Tringad, fel Dylan. Cofiais eiriau Josie, 'Roedd e'n chwarae yn yr ardd gyda'r ci.' Dyma fi'n gweiddi nerth fy ngheg i lawr y ffôn ar Alys, nes bod pawb yn y caffi'n syllu'n sydyn arna i. 'Cadwa Huw i ffwrdd o'r ci. Arhoswch yn y car nes i fi gyrraedd.' Swniai Alys yn syn. 'Huw?' galwodd. Yna'n uwch, 'Huw? Ble wyt ti?'

A gyda hynny clywais dros y ffôn sgrech fy merch wrth i'r car oedd yn teithio i fyny'r lôn heibio i Dŷ Tringad geisio stopio'n sydyn. Llwyddodd y gyrrwr i osgoi'r ci, ond wnaeth e ddim gweld y bachgen . . .

* * *

Mae pawb ym Mhorth Sidan wedi bod yn garedig. Daeth Guy i gysuro Alys ac maen nhw'n ôl gyda'i gilydd, yn galaru am eu mab. Bu Guy yn ofalus iawn ohonof fi hefyd, chwarae teg iddo, oherwydd doedd gen i neb i alaru gyda fi. Pan glywodd y newyddion, cafodd Gruff drawiad. Mae'n gorwedd yn ei wely yn yr ysbyty a dyw e ddim yn adnabod neb.

A dyma pam ydw i'n eistedd yma yn Nhŷ Tringad ar fy mhen fy hun. Weithiau dw i'n dychmygu mod i'n weld y ci yn yr ardd. Ond does neb arall wedi cael cip arno. Maen nhw'n meddwl mod i'n gweld pethau wrth i mi eistedd yn magu meddyliau yn fy ngwerddon, fy hoff le . . . fy uffern.

Helen Emanuel Davies
Cangen Aberystwyth

FY HOFF LE

Tlws Llenor Merched y Wawr 2011 (2il)

Eistedd yn fy nghwman yn boddi mewn tywyllwch melfedaidd a distawrwydd afreal. Fy mhen yn lolian ar fy ngliniau a phob gewyn tynn yn ymlacio fesul un, un ac un, gyda rhyw ochenaid egwan o ryddhad. Fy nghalon oedd yn curo fel gordd yn arafu yn reddfol. Niwlog a phell yw'r lleisiau sy'n galw fy enw a gwn fod y blanced ddiogelwch arferol yn cael ei thaenu trosof yn fy hoff le a theimlaf hi'n cau'n gariadus o'm cwmpas i'm cadw rhag unrhyw nam.

Plentyn bach yn rhewi yn ei hunfan a chrynu drosti wrth glywed clep drws yn cau nes bod y tŷ yn gwegian. Llais uchel ei gloch wedyn yn hawlio ei swper fel ceiliog ar ben domen, ac oglau cwrw a mwg sigarét yn llenwi ei ffroenau. Y corff bach eiddil yn ymateb i sefyllfa argyfwng ac yn gadael pwll bach trist yr olwg wrth ei thraed. Sgrech fain yn atsain yn ei chlustiau, a sŵn dwrn yn clecian wrth daro esgyrn brau ei mam yn ei hysgogi o'r diwedd i symud ar ei phedwar gan gropian drwy'r drws bach hud ac i mewn i'w hafan ddiogel, ymhell o draw y drin. Yma mae'n mwmian canu 'Gee ceffyl bach . . . ' ac yn symud yn ôl ac ymlaen i rythm carlam y ceffyl ar ei ffordd i ddianc i fyd teganau'r 'Cwpwrdd Cornel' – dacw tedi mawr, panda a'r giraff pinc yn dawnsio i'r miwsig ac yn ei gwahodd hithau i ymuno â nhw, rownd a rownd a rownd nes bod pawb wedi blino'n llwyr ac yn syrthio'n swp llipa ar y llawr. Bwm! Bwm! Bwm! Sŵn y drwm yn ein galw i'r gad. Rheng o filwyr tin, smart yr olwg, yn dod allan o'r bocs teganau sydd ar ei ochr ar y llawr. Ar eu ffordd efallai i ryfela dros y môr ac i wlad ddieithr lle bo'r trigolion yn eu croesawu ac yn chwythu trwmped a tharo clychau i ddiolch am eu dewrder yn dod i achub cam. Doli glwt lipa a doli tseina efo gwallt melyn cyrliog a dillad hardd – y ddwy yn powlio dagrau wedi dweud ffarwel wrth gariad, gŵr neu fab. Parti yn y gongl bellaf a'r teganau i gyd yn galw arni i ymuno yn yr hwyl – tedi glas yn rhoi sws glec i'r ddoli glwt wrth i'r botel bwyntio ati, a'r ceffyl pren yn gweryru'n glên a chynnig tro ar ei gefn i bawb ond Smot y ci nodio sy'n cyfarth wrth ei sodlau gan gymeryd arno fod yn berygl. Y clustiau bach wedi cau i'r crio a'r griddfan anochel sydd yn ceisio treiddio drwadd o'r tu allan. Yma mae hi'n saff, ei byd bach ei hun, lle nad oes siawns i fryntni nac ofn amharu ar lendid dychymyg plentyn. Dim ond euogrwydd yn curo ar y drws ac yn sleifio'n slei drwy'r craciau i'r isymwybod, blwydd wrth flwydd, fel y bo'n aeddfedu.

Llygad ddu yn syllu'n ôl arnaf yn y drych a llais bach yn yr ymennydd yn mynnu fy mod yn llawn haeddu'r grasfa am fod yn fethiant llwyr fel arfer – y swper oedd ddim yn plesio y tro yma. Fy wyneb i tybed neu wyneb Mam sydd yn syllu'n ôl arnaf o'r drych? Mae'r olwyn drwy hanes yn troi ac yn dod yn ôl i'r unfan. Dyma fy nghosb. Sŵn y drws cefn yn clepian yn torri ar y myfyrdod a'r blew bach ar fy mreichiau yn sefyll fel sowldiwr wrth i'm ffroenau unwaith eto gael eu llenwi ag arogl cwrw a mwg sigarét. Rhuthro yn reddfol drwy'r drws croesawus ac i mewn i'm hoff le a byd hud a lledrith fy mhlentyndod. Cau fy nghlustiau a'm llygaid a theimlo'r gwynt yn fy ngwallt wrth sgïo i lawr ochr mynydd yn y Swistir. Eira claerwyn yn disgleirio yn yr haul cynnes a'r gwres yn meddalu cyhyrau wedi rhewi gan ofn. Teimlad o ryddid llwyr yn llenwi'r cyfansoddiad ac yn creu ymdeimlad o iwfforia wrth ruthro'n gyflym a chyflymach tua'r dibyn. Gweld mam yn sefyll ar ben y dibyn, yn ifanc a hardd, heb boen na chlais, a gwên orfoleddus ar ei hwyneb. Breichiau diogel yn gwahodd i'w chôl a chariad maddeuant diamod yn ddigon cryf i'm cadw rhag syrthio i dduwch ebargofiant. Y tu allan mae sŵn aflafar chwyrnu trwmgwsg y meddwyn yn torri drwy'r freuddwyd ac mae unwaith eto yn weddol ddiogel, dros dro, i fentro allan i ail-ymuno'n anfodlon â'i bywyd bob dydd di-liw a llawn anobaith.

Tri o blant a dim un wedi ei eni o gariad. Dau fab yn rhy debyg i'w tad o lawer a'r olwyn yn dal i droi. Byth yn mentro rhoi troed dros y trothwy y dyddiau yma – rhyw ffobia neu'i gilydd ar ôl marwolaeth sydyn y gŵr medda'r meddyg. Ychydig a ŵyr o! Mae symptomau'r ffobia yn dod ag atgofion cas yn ôl – calon yn curo'n llawer rhy gyflym, chwys yn rhedeg fel afon a phanig yn effeithio ar y llygaid a'r balans. Does dim lle i fraw yn yr ystafell ddirgel. Y dyddiau yma mae Huwcyn Cwsg yn ymweld yn aml a'r amrant yn cau yn gynt nag yn y gwely'r nos lle bo problemau'r byd real yn dal i bwyso. Mae'r dychymyg yn dal yn drên wrth eistedd yn glyd yn fy hoff le – heddiw sŵn y môr yn taro creigiau neu'n rhedeg dros gregyn ar y traeth; oglau gwymon yn y ffroenau a sŵn aflafar gwylanod yn chwilio am fwyd; plentyn hapus ar ei liniau yn brysur yn adeiladu castell tywod i fyw'n ddiogel ynddo am byth. Yfory, hwylio ar long sydd allan ar y môr mawr heb olwg o lan na gorwel, a'r symudiad rhythmig drwy'r tonnau yn creu miwsig yn fy nghlustiau wrth ymlacio'n llwyr. Ddoe, eistedd ar ben mynydd yn edrych o bell ar oleuadau'r ddinas a dychmygu'r môr yn ei boddi fel Cantre'r Gwaelod neu Tryweryn a'r miwsig yn codi o'r dyfnderoedd i'n hatgoffa am ddyddiau gwell, tra bod lleuad lawn yn taflu ei phelydr dros y cyfan ac yn creu llwybr arian hud i'n galluogi i groesi'r môr i heddwch Ynys Afallon lle bu 'leddfu ofn oesau meithion'.

Ceir siawns yma, yn fy hoff le, i flasu profiadau newydd, llawn cyffro, o ddydd i ddydd – carped coch yn ymestyn cyn belled ag y gwêl y llygaid a chriw o bobl, wedi tyrru i sefyll o bob ochr, yn curo dwylo a chodi llaw yn frwdfrydig. Edmygedd yn llenwi eu llygaid wrth syllu ar y ferch ifanc hardd sy'n cerdded yn araf i lawr y carped gan godi ei llaw ei hun yn ei thro, wrth ymateb yn frenhinol ei hosgo ac aros yn achlysurol i nodi ei llofnod ar ddarnau digon blêr o bapur a gânt eu gwthio ati gan y dorf. Ffrog wen sidan yn syrthio at y llawr; esgidiau a sodlau mor uchel nes bod cerdded yn urddasol yn wyrth, a llwyddo yn ei hun yn haeddu canmoliaeth; tiara yn disgleirio ar ei phen a gemau drudfawr o gwmpas y gwddf bregus. Er syndod iddi ei hwyneb hi ei hun sydd i'w weld o dan y tiara a gwên newydd sbon, unigryw, yn taenu hapusrwydd drwy'r dorf. Camerâu yn clicio ymhobman a'r cefn oedd mor grwm yn syth gan falchder. Derbyn yr Oscar yn hynaws a dweud gair i bwrpas a phawb ar eu traed yn clodfori'r ddawn a'r person a lwyr haeddai'r wobr.

Diweddglo sydd yma! Amser meddai'r plant i'r hen wreigan fynd o'r tŷ lle ganwyd a magwyd hi, a lle y treuliodd ei hoes gythryblus. Rhy fregus erbyn hyn i ddringo'r grisiau serth i'r gwely ond yn hytrach yn pendwmpian yn y gadair freichiau a breuddwydio am ryw oes na ddaw. Y 'nhw' sydd yn cnocio'n ddiamynedd wrth y drws i'w symud yn erbyn ei hewyllys i ryw gwt henoed unllawr ar gwr y dref. Eisiau gwerthu'r tŷ maen nhw ac arian Jiwdas i'w bocedu yn denu. Ddim yn rhy fregus chwaith, hyd yn oed heddiw, i ddisgyn o'r gadair freichiau i'r llawr a chropian ar ei phedwar drwy'r drws hud i mewn i'r hoff le fu'n nyth clyd iddi drwy lawer i storm. Cau ei llygaid a sibrwd y geiriau:

'Efe a'm tywys gerllaw y dyfroedd tawel'

Mae sŵn y dwrn yn curo ar y drws yn mynd yn un a'r curo didrugaredd yn ei phen – tebyg i fynydd tân yn chwythu'i berfedd i'r pedwar gwynt ar ôl blynyddoedd maith o fudandod. Oglau mwg yn ei ffroenau, a dim yw dim yn dilyn ond gwreichion yn syrthio'n fud wedi'r ffrwydrad.

Does dim twll-dan-grisiau mewn 'bungalow'.

Glenda Jones
Cangen Llanrhaeadr YC

FY HOFF LE

Tlws Llenor Merched y Wawr 2011 (3ydd)

Faint sydd i fynd eto? Pryd fyddwn ni 'na? Synod Inn, Cross Inn, Maenygroes ac yna dyna fe o'm blaen, Cei Newydd yn swatio yng nghysgod y clogwyni, a glesni'r môr yng ngolau'r haul yn fy nenu i'w gesail. Fy nghartref i a'm chwaer am bythefnos ym mis Awst bob blwyddyn.

Aros yn Park Street, cartref Mair a Martha'r teulu. Anti Peg annwyl, nawr yn tendio o'r *scullery* gefn wedi treulio'i bywyd yn tendio eraill yn Onslow Square, Kensington ac Anti Nel, 'Miss Evans y teacher' a reolodd genedlaethau o blant y Cei gyda'i gwialen fedw a'i thafod llym. Anti Nel yn eistedd ar ei gorsedd yn y 'stafell ganol yn gwau a gwylio Compact a newyddion y BBC. Doedd dim hawl newid sianel ar y teledu hwn!

Mynd mas yn foreol gyda Anti Peg a'i bag siopa. Galw yn Park End a Mrs Evans yn torri'r ham a'r bacwn ar y sleiser mawr coch ar y cownter. Bara o Gibby's, clafoerio dros y doughnuts yn y ffenest ac arogl y pobi wedi aros ar y cof tan heddiw. Galw yn y Llyfrgell a Jean yn ein helpu i ddewis llyfr o'r silff lyfrau Cymraeg. Nôl adre a gosod y bwyd yn ddiogel yn y *safe* yn yr ardd gefn, y llaeth mewn jwg â gorchudd les gyda gemau'n bwysau i'w gadw yn ei le.

Draw i George Street wedyn at Anti Kate, pentwr o Old Moore's Almanac ar y ford a hanes y gallai ddarllen dail te, weithiau. Pob tŷ o gwmpas a'i arwydd B & B. Wenna a Nan yn eistedd ar sil eu ffenestri ffrynt bob gyda'r nos yn rhannu clecs y dydd. Roedd *Evening Meal* y ddwy yn werth ei gael gyda physgod ffres o'r bae a llysiau o'r ardd, cyn dyfodiad y gair organig. Gŵr Nan yn anweledig, bant ar y *lightship* dros bob haf ond mainc i gofio amdanynt ar y Pier nawr.

Pier y Cei – oes na unman gwell ar noson o haf? Y chips a'r gwylanod yn gymysg, dolffin yn y golwg os ydych yn lwcus a straeon Mam yn codi o'r cof – y goleudy yn cael ei chwythu i'r môr adeg storm a hi a'i ffrindiau yn dysgu nofio wrth ddeifio oddi wrtho. Sawr yr heli a'r pysgod gyda'r cewyll cimychiaid yn bentyrrau anniben yma a thraw. Bywyd y Cei!

Gweld Dafydd Joseff yn golchi ei gwch a bechgyn y cychod pleser, Ermol 1 a 2 yn gweiddi wrth osod eu placiau i ddenu ymwelwyr am drip o gwmpas y bae neu weld y morloi ger Ogof Deupen.

Cael mynd i'r traeth bob prynhawn gyda Lizzie a fyddai'n cadw tŷ i Mrs George, Y Dryslwyn (gweddw Capten George). Oedden ni'n boendod i Lizzie neu yn gyfle i gael saib oddi wrth yr hen wraig?

Wrth ein bodd yn chwarae yn y dŵr bas, rownd yr estyll a ddefnyddid gan y cychod i lanio a gwylio o bellter y bobl siacedi coch, y 'Sunshine Club'. Ddim yn ddigon hyderus i ymuno ond dysgu 'Jesus Loves Me This I Know' wrth gloddio yn y tywod. A bob hyn a hyn cael cerdded ar hyd y tywod draw i Draeth Gwyn, nes i'r llanw ddod a'n dal ar y creigiau wrth ddychwelyd un prynhawn. Fuodd na ddim Traeth Gwyn eto!

Dringo'r rhiwiau adre i de, oes unlle arall a gymaint o riwiau serth? Pasio rhesi taclus o dai a'u henwau hudol – Araminta, Sacramento, La Rochelle, wedi'u henwi ar ôl llongau'r capteiniaid a drigai ynddynt. Marine Terrace, Rock Street a Lewis Terrace yn llinellau syth yn ymestyn ar hyd godre'r clogwyn tuag at Graig yr Adar.

Trampan gyda'r nos i Lewis Terrace. Galw'n gyntaf yn Confidence i weld y ddwy Miss James. Hydwen yn athrawes yn ysgol y Cei a Vio wedi cadw tŷ i'r hen gapten, eu tad. Eu dau frawd wedi eu lladd cyn yn ddeunaw oed, un yn y ffosydd yn Ffrainc a'r llall ym moroedd y Dwyrain Pell yn grwtyn pymtheg oed.

Draw wedyn at Miss Davies yn rhif 11, hen wraig fach yn gwargrymu dros ei ffon ac yn falch i weld plant Nansi.

Adre i'r gwely a phipo allan drwy ffenest y llofft gefn at y memorial Hall. Gweld y merched yn mynd i ddawnsio gyda'u gwallt beehive a'u sgertiau *rock and roll* a syrthio i gysgu yn sŵn y gerddoriaeth.

Mynd i'r Tabernacl uwch y môr gydag Anti Peg ar ddydd Sul a chael mynd allan i'r Ysgol Sul yn y festri. Synnu wrth weld creonau a hawl i dynnu llun – dim ond darllen o'r Testament Newydd fyddem yn yr Ysgol Sul adre. Yn y prynhawn dal y bws i rihyrsal yn Ffos-y-ffin. Wyth ar y bws yn cynnwys ni ac Anti Peg ond roeddwn yn gwybod geiriau'r emynau.

Cei Newydd fy mhlentyndod, lle'r adnabyddwyd fy mam fel Nansi, Llys Iorwerth yn lle Mrs Morgan, y Chemist, barchus San Clêr. Cei Newydd, y baradwys lle treuliais wythnosau yn hafau fy mhlentyndod.

A dyw'r olygfa wrth gyrraedd y Cei wedi newid dim, ond heddiw trof i'r chwith cyn dod lawr y rhiw olaf, ac yno, ym mynwent y Cei, wrth lanhau'r chwyn o fedd y tair modryb byrlyma'r atgofion nôl am y lle hudol hwn sydd â lle arbennig yn fy nghalon.

Beti Wyn James
Cangen San Clêr

Cyfres Llyfrau Llafar Gwlad – rhai teitlau

42. AR HYD BEN 'RALLT
    Enwau Glannau Môr Penrhyn Llŷn
    Elfed Gruffydd; £4.75
45. 'DOETH A WRENDY . . .'
    Detholiad o ddiarhebion – Iwan Edgar; £4.25
51. SEINTIAU CYNNAR CYMRU
    Daniel J. Mullins; £4.25
52. DILYN AFON DWYFOR
    Tom Jones; £4.50
53. SIONI WINWNS
    Gwyn Griffiths; £4.75
54. LLESTRI LLANELLI
    Donald M. Treharne; £4.95
55. GWLADYCHU'R CYMRY YN YR AMERICAN WEST
    Eirug Davies; £4.50
56. BRENHINES POWYS
    Gwenan Mair Gibbard; £4.50
57. Y DIWYDIANT GWLÂN YN NYFFRYN TEIFI
    D. G. Lloyd Hughes; £5.50
58. CACWN YN Y FFA
    Ysgrifau Wil Jones y Naturiaethwr; £5
59. TYDDYNNOD Y CHWARELWYR
    Dewi Tomos; £4.95
60. CHWYN JOE PYE A PHINCAS ROBIN – ysgrifau natur
    Bethan Wyn Jones; £5.50
61. LLYFR LLOFFION YR YSGWRN, Cartref Hedd Wyn
    Gol. Myrddin ap Dafydd; £5.50
62. FFRWYDRIAD Y POWDWR OIL
    T. Meirion Hughes; £5.50
63. WEDI'R LLANW, Ysgrifau ar Ben Llŷn
    Gwilym Jones; £5.50
64. CREIRIAU'R CARTREF
    Mary Wiliam; £5.50

65. POBOL A PHETHE DIMBECH
R. M. (Bobi) Owen; £5.50
66. RHAGOR O ENWAU ADAR
Dewi E. Lewis; £4.95
67. CHWARELI DYFFRYN NANTLLE
Dewi Tomos; £7.50
68. BUGAIL OLAF Y CWM
Huw Jones/Lyn Ebenezer; £5.75
69. O FÔN I FAN DIEMEN'S LAND
J. Richard Williams; £6.75
70. CASGLU STRAEON GWERIN YN ERYRI
John Owen Huws; £5.50
71. BUCHEDD GARMON SANT
Howard Huws; £5.50
72. LLYFR LLOFFION CAE'R GORS
Dewi Tomos; £6.50
73. MELINAU MÔN
J. Richard Williams; £6.50
74. CREIRIAU'R CARTREF 2
Mary Wiliam; £6.50
75. LLÊN GWERIN T. LLEW JONES
Gol. Myrddin ap Dafydd; £8.50
76. DYN Y MÊL
Wil Griffiths; £6.50
78. CELFI BRYNMAWR
Mary, Eurwyn a Dafydd Wiliam; £6.50
79. MYNYDD PARYS
J. Richard Williams; £6.50
79. LLÊN GWERIN Y MÔR
Dafydd Guto Ifan; £6.50
82. AMBELL AIR
Tegwyn Jones; £6.50
83. SENGHENNYDD
Gol. Myrddin ap Dafydd; £7.50
84. ER LLES LLAWER – Meddygon Esgyrn Môn
J. Richard Williams; £7.50